Ce qu'il raconte sur la nature : J-H Fabre dans ses propres mots

Jean-Henri Casimir Fabre

虫と自然を愛する

ファーブルの言葉

大事なことはみんな「昆虫」が教えてくれた。

ジャン・アンリ・ファーブル

平野威馬雄 訳

興陽館

虫と自然を愛するファーブルの言葉

大事なことはみんな「昆虫」が教えてくれた。

はじめに

フランスの科学者ジャン・アンリ・ファーブルは、どこにでもいるハチ、セミ、クモといった小さな生き物の観察を通じて、その背後に思いもかけない精妙な世界がひろがっているということを教えてくれました。

彼の代表作『ファーブル昆虫記』はいまも子ども向けの科学読み物として、世界中でひろく読まれ続けています。

しかし、ファーブルの魅力は、単なる科学啓蒙の読み物の面白さにはとどまりません。

『昆虫記』をはじめとする昆虫や自然の観察記録のはしばしで、ファーブルは、自分の生活で感じた喜びや哀しみを記しています。

頼りとする教師も持たずに、独り学ぶなかで、幾何学の体系に見出した、数学の美しさ。

長年にわたる研究生活を述懐しつつ、自分につづく学徒に伝えようとする学問の険しさと面白さ。

老年にいたって、鮮やかに思い出されてくる、幼年を過ごした村の情景。

思うように動かなくなった身体を嘆きながら、探求をつづけ、現場での観察を助けてくれる家族たちへの感謝。

一家で可愛がっていた仔猫の死が、幼い娘にもたらした悲しみと、そのいたましさ。


九十二歳まで生きたファーブルでしたが、経済的に恵まれない時期が長く、その間、妻や幼い子どもを失うといった数多くの痛ましい経験にみまわれました。

村祭りの喧騒から遠く離れて、獲物をとる網を張りつづけるクモや、ひと晩中歌い続けるコオロギについて淡々と記すファーブルは、人間界とは異なる掟で動いている、別の世界のありかたを夢想していたのかもしれません。

本書は、仏文学者・詩人であった平野威馬雄（いまお）さんが、戦時中の一九四二年（昭和十七年）にまとめた『ファブルの言葉』（新潮社刊）を再編集したものです（「まえがき」をこの本の終わりに収録しました）。

多岐にわたるファーブルの著作から平野さんが集めた文章は、どれも短いものですが、科学者的詩人の数多くの側面をうかがわせるものばかりです。

科学者ファーブルの感傷は、老年と青春の間を揺れ動いてとどまることがありません。この一冊によって、若い読者も、老齢にちかづいた読者も、それぞれの視点から「古くて新しいファーブル」を発見することができるでしょう。

編集部

虫と自然を愛するファーブルの言葉

大事なことはみんな「昆虫」が教えてくれた。

目次

もくじ

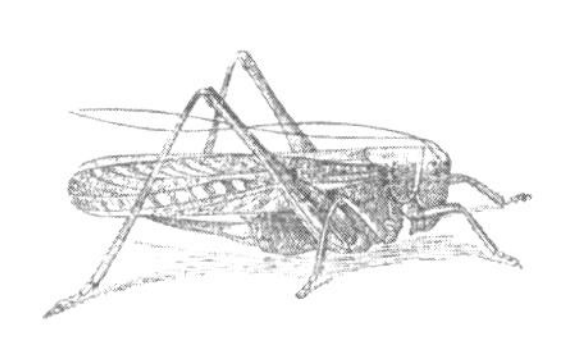

昆虫の章

昆虫のなかで、よくみんなに知られている奴が、大ていの場合馬鹿者にすぎない一方、だれも知らない虫が真の値打をもっていることがある。

1

地味な虫万歳！　小さな虫万歳！

昆虫のなかで、よくみんなに知られている奴が、大ていの場合馬鹿者にすぎない一方、だれも知らない虫が真の値打をもっていることがある。注意をひくに足りる才能をもっていながら、みとめられないままでいる虫があるかと思うと、衣裳や威厳に富んでいるのでわれわれに親しみのある虫がある。われわれは隣人を上等な衣服や高い地位によって判断するように、昆虫をその着物や大きさによって判断する。あとのことは勘定にはいらない。記録にのせられる名誉を博するためには、昆虫はよく聞えた名前をもっている方がたしかに有利である。それは、正確な方法でおしえられた瞬間に、読者を安心させる。おまけに、物語を約めさせ、くだくだしい描写の煩を省いてくれる。一方、もしも体の大きさが観察を容易ならしめ、優美な形や輝かしい衣裳が人の眼をうばうならば、かかる華麗な姿を勘定に入れないのはまちがいである。しかし昆虫研究に真の魅力を与える習性や器用さの方がはるかにそれらの上にある。

ところで、昆虫においては、もっとも大きい虫やもっとも綺麗な虫が概して無能であることがある。外の世界でも見受けられるところの反対現象である。全身金属性な光でキラキラしている甲虫からなにが期待できるか？　単に喉を切られたなめくじの涎(よだれ)の中の御馳走(ごちそう)である。

宝石商の箱から転(ころが)り落ちたようなおおばなむぐりから何が期待できるか？　薔薇(ばら)の花の真中で惰眠を貪っている虫にすぎない。こういうすばらしい虫はなんにも知らないのである。才智もなければ、職業もない。

反対にわれわれは、独創的な発明や、芸術的な細工や、たくみな組み合せを求めよう。しばしば誰からも忘れられている哀れな虫をたずねて見よう。そうしてかれらがしばしば行く場所に対して、いやな気持を起さないようにしよう。塵芥(じんかい)が、薔薇の花ではそれと同じようなものを見出すことができない美しい珍奇なものを、われわれのためとっておいてくれる。地味な虫万歳！　小さな虫万歳！

（地味な虫万歳！）

人間がたくみに企んだ鳥さしの網より、蜘蛛の網は何層倍もすぐれている。

鳥さしがもちいる網は、人間がたくみに企(たくら)んだ罪な所業の一つである。網と杭と、四本の竿(さお)を用いて、土色をした大きな網を二つ地上に張る。麦打ち場の空地の右に一つ、左に一つという風に。そしてくさむらの小屋にうずくまって猟師は、頃を見はからって、一本の長い綱をあやつり、網をうごかす。そしてちょうど扉を閉めるように急に網を合(あわ)せるのである。二つの網のあいだには囮(おとり)の籠(かご)がおいてある。紅雀、かわらひわ、みやまほおじろ、その他のほおじろ類の囮は、聴覚が鋭敏で、遠くを仲間の一隊が通るのを聞き知って、直ぐに短音節の助けを求める叫び声を発する。その中の一種で、誘いの上手なさんべはぴょんぴょんと飛び、うちみたところ、自由な体ででもあるように翼を搏(う)つ。が、実は一本の綱が徒刑囚の柱にかれをしばっているのだ。たとえ、つかれきって、飛び立とうとする努力の空しいことにがっかりして、腹這いにねてしまって、もう仕事するのを拒否するようになっても、鳥さしは小屋から動かずに、かれの元気を取り戻すことができる。長い紐で、心棒の上を動く小さな梃子（てこ）をあやつる。この、鬼のような小機械でもちあげられ、小鳥は、網の揺れるごとに、とび上り、落ち、また飛び立つのである。

秋の朝のきもちのよい太陽を浴びて鳥さしは待っている。急に籠の中ではげしくさわぎだす。

かわらひわはピーンクー、ピーンクーと集合の合図をつづけざまにさけぶ。空に新来の客の叫び声がきこえる。

さあ、さんべをはやく！　なにも知らずにかれらはやってきて、この食わせものの空地に下りてくる。待ち構えた猟師は手早く網を引く。網がとじて小鳥の群は一羽もあまさずとらえられる。人間の脈の中には野獣の血が流れている。鳥さしは、みなごろしにするために駈けつける。おや指でおさえて、囚われの鳥の息の根をとめ、頭蓋骨をくだく。いたましい獲物と化した小鳥たちは、鼻の穴に糸を通されて、一ダースずつに束ねられ市場へおくられるのだ。

悪らつなたくらみにかけては、蜘蛛の網も、鳥さしの網にくらべることができる。もし、辛抱づよく研究して、完全無欠な網の主なる特徴がわかったならば、蜘蛛網が、鳥さしの網にくらべて何層倍もすぐれていることがわかるだろう。何匹かの蠅をごちそうしてくれるための道具としてはなんという精巧きわまる技術であろう！

動物全体をみわたしても、どこにも食わんための欲求が、これほど頭のよい工夫をおもいつかせたことはない。

（鳥さし）

昆虫の章

石炭紀の森林の住民を髣髴とさせてくれるふしぎな昆虫の第一位にあるものは、かまきりのたぐいである。

生命の、最初の養い親なる大海は、いまなおその深みのなかに、奇妙な形をした生物を、じつにむげんに保存している。

それが宇宙の試作時代の動物なのだ。

陸地は海ほどに多くのものを産み出してくれないけれども、海からくらべたならば、はるかに進歩に適しているので、むかしの奇妙な形の生物のかげなど、ほとんど見たくても、もう、見ることはできないのだ。

わずかばかり、のこっているものは、特にきわめて制限された技術と、きわめて簡単な、ほとんど皆無といっていいほどの変態とをもった原始的な昆虫の部類に入っている。わが国の諸地方で、石炭紀の森林の住民を髣髴とさせてくれるふしぎな昆虫の第一位にあるものは、かまきりのたぐいであって、きわめて怪しい習性と、構造とをもっているおがみかまきりなどその尤（ゆう）なるものだ。

（生命の養い親なる海のこと）

蜂類は母性の先見で、子供を育てるためのいろいろな技能に実によく精通している。

子どもたちを保護してやるために、巣をつくってやることは、本能の力のもっとも貴いあらわれである。鳥よりももっと多方面な才能をもっている昆虫は、そのことをまたくりかえし私たちにおしえてくれる。そうだ、昆虫たちは、わたしたちに、こういうのだ。

《母性こそは本能の最も崇高な源泉だ。》

個体の保存より、さらにずっと重大な種の存続を引きうけている母性は、もっとも愚昧な知性の中にも、おどろくにたえたる先見の明を呼びさませるのである。思えば母性こそ神々しき炉である。母性という炉の中においてこそ、完全にして欠くるなき理性の面影を私たちにあたえる霊妙不可思議な兆候ははぐくまれるのである。育まれ培われ、やがては燦然としてかがやきわたるのである。

母性が強ければ強いほど、本能はそれだけますます高まるのである。この点でわたしたちが、最も注意しなければならないものは蜂類である。蜂類にあっては、母としての世話や配慮がぴんからきりまで、ことごとく母親のやせ腕に、そのひよわな双肩に負わされているのだから。

こういう次第で、本能の力を特別ゆたかにめぐまれている蜂類は、すべての子孫のために食物と住居とを準備してやっている。彼等の複眼は、自分の子供をけっして見ることはないのであるが、それでも母性の先見で、それをよく知って居り、子供を育てるためのいろいろな技能には実によく精通している。ある者は綿つくり屋さんになって、綿袋を踏みつぶしているし、ある者は籠つくり店をひらいて、木の葉の切れっぱしで籠をあんでいる。さらにまた、石屋になってセメントの部屋と砂利の天井とを拵えている者もあれば、陶器工場を設けて、そこで粘土を捏ねて上品な花瓶や、甕や、腹のふくれた壺なんか作っているものもある。そうかと思うと、一方では坑夫の技術を専攻して、地の中になまあたたかい怪しげな地下室を掘っているものもある。

以上のごとく、われわれ人間の職業そっくりの沢山の職業がひとえにそこに住む住居をこしらえるためにいとなまれているのだ。また、中には、人間の未だ知らないような技術さえもしばしばおこなわれている。それから、住宅やいろいろな技術に次いで、さらに大切なことが立派に母性の発揮でやってのけられる。それは未来の子供のための食物、すなわち蜜の塊や、花粉の菓子や、たくみに麻痺させた獲物の塩漬などをこしらえることだ。

もっぱら家族の将来のためをはかってのこうした仕事の中には、母性に刺戟された本能の最高のあらわれが発揮されている。

（母性本能のあらわれ）

昆虫の章

自然は自分を食っている。物質は胃から胃へと通って、はじめて生き生きしていられるのだ。

深く思いをいたして考えてみる時、『寄生』ということは、恥ずべき行為であろうか？　という疑問にぶつかる。人間だと、他人の飯を食う居候(いそうろう)は、どう考えてみても、たしかに見さげはてた奴だ。だが、虫までも、そうした悪徳よばわりしてよいものだろうか？　虫に対してまでも、私たち自身の悪徳について抱(いだ)かれる憤慨(ふんがい)を浴びせかけねばならぬのであろうか？　人類の寄生虫、卑(いや)しむべき寄生虫は同胞の厄介になって生きている。ところが虫の場合は決してそうではない。このことは問題の性質を根柢(こんてい)からくつがえしてしまう。わたしは人間以外に、同種族の働き手が蓄(た)めた糧食を食(は)む寄生虫なんか、ただの一例だって知らない。同じ職業のしまりや同士の間で、あちこちと、かっ払いや、不意の掠奪(りゃくだつ)がおこることならわたしもいさぎよく承認する。けれどもそんなことは物の数ではないのだ。真に重大で、しかもわたしが断じて否定したいことは、同種族の動物中、あるものは他のものの厄介になる属性をもっているというようなことだ。いくらわたしの記憶をたどって思い出そうとしてみても、手帳をくってみても無駄だ。

私の長い動物学的生涯も、昆虫がその同類に寄生するなどという見下げはてた例はただの一つも見あたりはしない。

×

昆虫はその点、人間よりずっと気がきいている。彼等の中には、絶えず同類の、お互い同士の財産をねらうことばかり考えているような、ふとどき千万な閑人なんか断じていない。どんな昆虫だっても、自分の種族に寄生するようなことはない。もし寄生は他種の動物の間にもとめなければならないものだとしたならば、その場合、寄生とは何を意味するのであろうか？

人生なんて、大ざっぱに言ってしまえば、はてしのない掠奪のようなものだ。自然は自分を食っている。物質は胃から胃へと通って、はじめて生き生きしていられるのだ。生の饗応では、めいめいが、たがいに会食者になったり、御馳走になったりする。今日食ったかと思うと、明日食われてしまうのだ。今日は我がもの、明日は汝のもの。(hobide tibi, cras mihi.)

万物は生きているもの、ないしは、生きていたものを食って生きている。何もかもが寄生だ。人間などは、大の寄生虫で、食えるものならなんでも手あたり次第に独占してしまう。

仔羊からは乳をうばい、蜜蜂の仔からは蜜をうばう。ちょうど、メレクタ［独自の巣を作らず、ほかのハチ類の巣に卵を生み、寄生するハチ。］がいしくばちの仔虫から飼料を横領するのと何のえらぶところがない。二つの場合は同一だ。

これはわたしたちの場合のように、怠惰の罪だろうか？　いや、決してそうではない。それは、あるものが生きんと欲すれば、必然的に他のものを殺さなければならないという残忍な法則なのだ。

×

食うものと食われるもの、かすめとるものとかすめとられるもの、強奪するものと強奪されるものとの絶え間なき闘争がおこなわれるなかで、わたしどもよりはまだしもましなメレクタが、屈辱的なものとされるという法はない。

いしくばちを破滅させるからといっても、彼は破滅の本家である私どものまね事をちょっぴりやってみせた位のところだ。

かれの寄生虫は、私たち人間の寄生虫ほどにくむべきものではない。彼には子孫をやしなう必要があるのだ。そして収穫道具もなく、収穫術も心得ていないので、自分よりもすぐれた道具や才能をさずかっている他人の糧食を食べるのだ。餓えた腹の残酷な乱闘の中で、彼はさずかったままに、できるだけのことをするまでだ。


（食うものと食われるもの（寄生のこと））

深い叡智には、同時に深い無智がむすびついている。本能にとっては、いかにむずかしいことでも、不可能だということはない。

ある種の蜂は、その無意識的な霊感、つまり本能にみちびかれて、何ともいいようがないほど的確に、おどろくべき卓越した技術によって、すばらしい仕事をやってのける。この天才的な腕前(うでまえ)、霊智というべき頭のよさも、ひとえに本能の二字につきているのだから、本能の常道を一歩でも外(はず)れたら最後、実もって馬鹿げた愚かしさと無智振りとを発揮する。

本能の特性をしている奇妙な矛盾によって、深い叡智には、同時に深い無智がむすびついていることがわかる。本能にとっては、いかにむずかしいことでも、不可能だということはない。蜂はその巣をつくるのに、底を三菱形にした六角形の室をつくり、どうしたら最少の努力をもって最大の結果を得ることができるかという困難な問題を実に正確に解決した。人間がそれを解決しようという段になったら、余(よ)程(ほど)しっかりした代数学の知識が必要であろう。その幼虫を生きた餌で養っているあなばちは、殺害技術の中に解剖学や生理学の極めて微妙なこつに達している人でもかなわないような方法を見せている。本能にとっては、行為がその動物の常住の生活範囲からはずれないかぎり、どんなことでもおそろしいという事はない。同時に、本能にとっては、もしその行為がいつもの生活方法からすこしでもはずれていれば、どんなことでも容易ということは決してないのだ。虫はその非常な叡智でわれわれをおどろかせるけれども、そのすぐ後、それがたとえどんなに単純なことでもほんの僅(わず)かでもいつもの生活とちがったことにであったら、今度はその愚かさ加減でわれわれをおどろかせる。本能とは、実に底知れぬ魔力である。

（本能の無智）

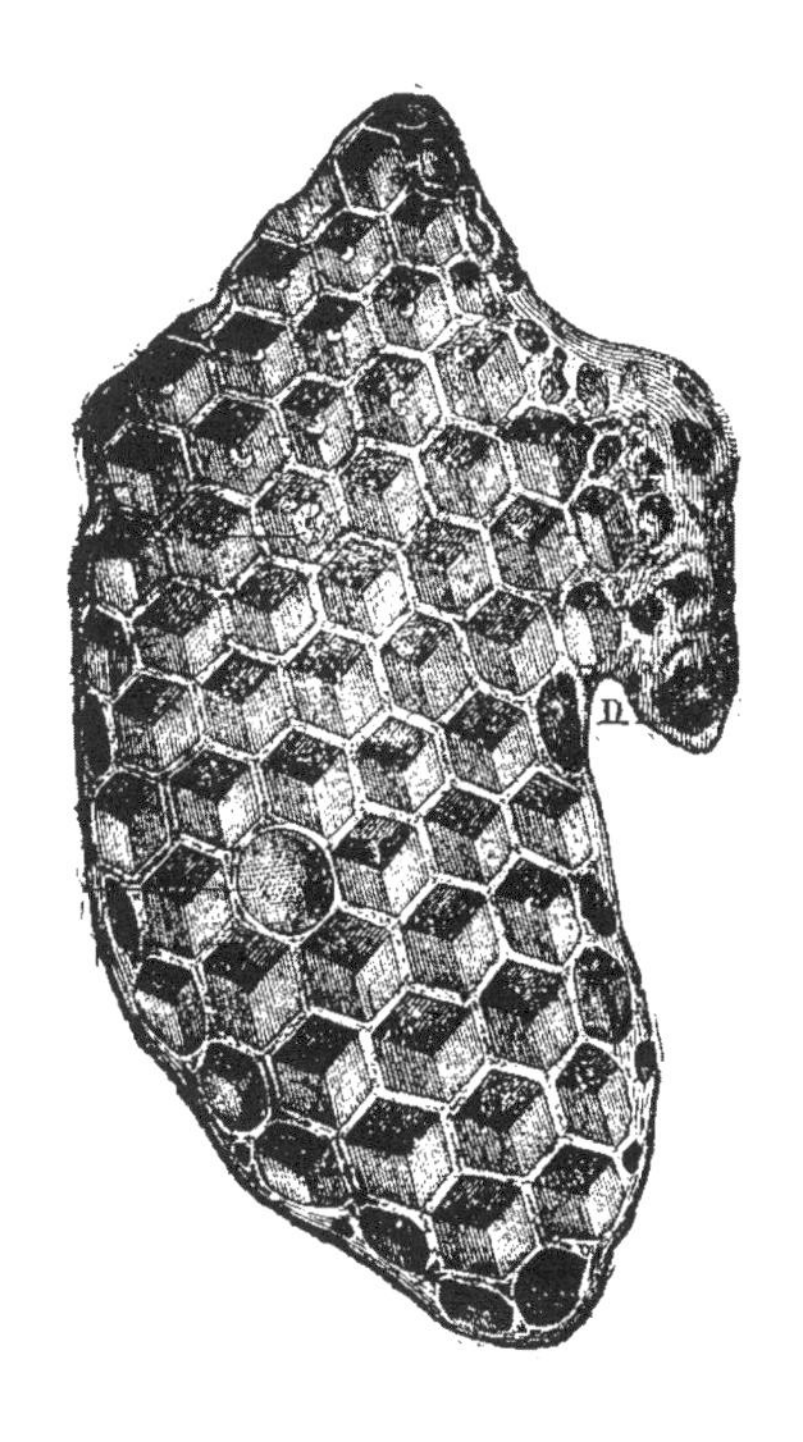

動物には道徳などない。人間だけがそれを知り、それを形成し、良心のひらめきが教えるがままにそれを改良する。

ある種の虫の父母は、子どもたちのことにかけては人間の親どもも顔まけする程熱心である。これと同じような例を見出すためには、ずっと高等な動物類にまでさかのぼらなければならない。辛うじて鳥と獣類とが、ややこれにひとしいものをわれわれに見せてくれるだろう。

もしもこのように烈しい親の慈悲心が、昆虫の世界でなくて、われわれ人間の世界に存在していたとしたら、われわれはそれを道徳、しかも完徳とさえもいうであろう。ところが昆虫の世界ではそのような表現は場ちがいだし、見当ちがいである。

なぜかなら、動物には道徳などないからである。人間だけがそれを知り、それを形成し、良心のひらめきが教えるがままにそれを改良するのだ。

良心とは、われわれの内にある最もよきものが、そこに集中された精緻な鏡なのである。

あらゆる進歩の中で、最も高尚なこれの進歩のあゆみはじつにおそいのだ。

最初の殺人者なるカインは、弟を殺してからしばらくたって考えたといわれている。では、後悔でもしたのだろうか？　とんでもない。決して後悔なんかしたのではないにきまっている。むしろ、弟の拳よりももっとずっと強い拳を恐れたのである。不吉な打撃を懼（おそ）れる心が叡智の始めであった。そうだ、まったくこの恐怖にはそれだけのよりどころがあったのだ。と、いうのは、カインの末裔は、人殺しの道具をつくる術が不思議と巧みであった。

拳骨の次に鉄棒、投石道具などが工夫された。進歩は、ひうち石で作った弓矢とまさかり、それから後になっては青銅の小刀、鉄の槍、鋼鉄の剣という風に順々としっかりしたものを作って行った。やがて化学がそれに参加した。大量殺戮の勝利は化学に与えられる。今日奥地の狼は、すばらしい爆発薬がいかほど人肉の断片を彼等に与えたかをわれわれに告げてくれるであろう。

だが、こうしてますますそのような物騒な品物が進歩して行くとすれば、はたして未来はわれわれわれわれに何を残しておいてくれるだろう？　人はあえてそこまで考えようとはしない。

（後略）

（良心のこと）抄録

感覚器官のないわれわれには完全に知られないでいるそれに必要な嗅覚の未知の領域について。

全体として、嗅覚には次の二つの領域があるらしい。すなわち空中に溶解する微分子のそれと、エーテルの波のそれとである。前者だけはわれわれにも感じられるし、同様、虫にも所属している。まむし草の悪臭について、あおかつおぶしむしにしらせたり、土龍（もぐらもち）の臭気について、おおしでむしや、しでむしにしらせるのがそれだ。後者は空間における能力範囲の点ではるかにすぐれているのだが、それに必要な感覚器官のないわれわれには完全に知られないでいるものだ。大くじゃく蛾と、ミニイム蛾とはその結婚式に際して、これを感得するのである。

他の多くの虫も、彼等の生活様式の必要にしたがって、それぞれの程度で、これを享有しているにちがいない。

光のように、においもまた、X光線を持っているのだ。

科学が動物によって教えられ、他日われわれに、においの無線電信を恵与してくれるなら、その人工的な鼻こそは、われわれに驚異の世界を開いて呉れることであろう。

（嗅覚の二つの領域）

2

田園の章

ああ、私の美しい樹立(こだち)よ。ほんとにおまえは、どれほど豊かに実をもつことか！　おまえの、ありあまる慈しみから、なんと豊かに、多くの籠をみたしてくれることであろうか！

宵深く、蝉も声をひそめている。
光と熱に飽き足りた蝉たちは、
日もすがら交響楽を奏でたのだった。

A

四月がおわると、蟋蟀（こおろぎ）の歌がはじまる。はじめのうちはまだ、とぎれとぎれのつつましやかな独吟であったものが、やがて全体的な交響楽とかわってくる。草むらごとにその演奏者がひそんでいる。

わたしは蟋蟀を、春の歌い手の第一位におくことをはばからない。たちじゃこうそうや、ラヴァンド〔ラヴェンダー〕の花ざかりのころになると、蟋蟀どもはわれわれの野原で毛冠（とさか）をいただいたひばりを相棒にする。この抒情的な紡錘（つむ）は、歌の節にのどをふくらましながら、空高く舞いあがり、かなた眼のとどかぬ雲の中から田畑の上に快いアリアを注ぎかける。すると下界からは蟋蟀のほがらかな歌がかれに答える。それはなんのたくみもない、ごく単調なものだ。けれどもその素直さは、更生せる万物のひなびた歓喜に、なんというさわしさであろうか！　これこそもえいずる種子、伸びゆく草の、めざめの讃歌であり、聖なるほめうたである。このデュエットのうち、いずれに棕櫚（しゅろ）の枝をおくるべきか？

　わたしはそれを蟋蟀に与えたい。数からいっても連続する節まわしからいっても、蟋蟀の方がすぐれている。

　雲雀が歌わなくなればラヴァンドが陽をうけて、龍脳（りゅうのう）の香炉がゆらゆらと香の気がたちのぼる紺碧の野原は、ひとり、かれからのみ、つつましく、荘厳な祝福をうけるであろう。

B

　七月も、さなかとなった。土用にはいったばかりだ。が、今年の暑気は、暦よりも足が早くて、ここ数週間このかたの気温は実にがまんができない。今宵、村では祝日の祭がある。若者たちは祝いの火をかこんで跳ねまわっているし、ここからもその教会の鐘にてりかえっているその火がほのかに見えるし、火の箭が上るたびに儀式めいた太鼓の音が、とどろにひびきつづけるが、わたしはただひとり、九時をまわった涼しく暗い片すみで、野の祭、収穫の祭の奏楽に耳をまかせている。それは今、村の広場で、火薬や粗朶の火や、紙提灯や、とくに火酒などによって祝われている祭よりもはるかにすぐれたものなのだ。正に美しきものの素朴さであり、力強きものの平静さだ。

宵深く、蝉も声をひそめている。光と熱に飽き足りた蝉たちは、日もすがらわれをわすれて交響楽を奏でたのだった。

夜の訪れは蝉たちには休息である。けれどもこの休息はしょっちゅうかき乱される。

プラタアヌ［プラタナス］の濃密な枝葉のしげみに、ふと甲高い、短い、苦痛の叫びのような声が上る。それは夜の猛烈な狩猟家たるあおいいなごに安眠中をおそわれた蝉の絶望的な悲嘆なのだ。あおいいなごは蝉に跳びかかるや、その脇腹を捕え、腹に穴をあけて、ひっかきまわすのである。乱痴気さわぎの音楽の後にこんな殺戮がひかえているのだ。

われわれ国民の祝祭の最高表現たるロンシャン練兵場の観兵式なんか、わたしは見たこともなければ、これからも見に行きはしないだろうが、たいして遺憾にはおもわない。新聞がそれを十分知らせてくれるからだ。現場のスケッチをしてくれるからだ。

わたしは木立のここかしこに《陸軍衛生隊、民間巡回病院》などと記された不吉な赤十字が立っているのを見る。とすると骨を挫いたのをなおしてやるとか、日射病をなおしてやるとか、多分死人をあわれんでやったりすることまでが持ちあがるのだろう。

そういうことは見越されて立派にプログラムに入っているのだ。

ふだんは実にものおだやかな、平和なこのわたしの村でさえ、わたしは誓って言う、お祭は、歓喜の一日になくてならぬ一種の薬味たる殴り合いの、二つ三つを伴わずには果てないであろう。歓楽を十分に味わうためには、どうやら苦痛の唐辛子が必要であるらしい。そんなさわぎから遠くはなれ、耳をかたむけて瞑想するとしよう。腹に穴をあけられた蝉が不服をのべたてようが、プラタアヌの木々の上では、オーケストラの調子がかわってお祭がつづけられるのだ。さて、今度は夜の芸術家たちの番だ。

殺戮のおこなわれた地点の周囲に、青葉の錯綜の中に、鋭敏な耳には、いなご、の呟きがきこえる。それは、非常にばらばらな一種の滑車の音響であり、乾き切った薄膜がすりあわされて出るあいまいなかすかな摩擦音だ。この鈍い連続的な低音の上に、間断的にほとんど金属的なほど非常に鋭いあわただしい戛々(かつかつ)たる音響が鳴るのである。これが歌であり、また途切れ途切れに間を置かれる節(ストロウ)だ。その他は伴奏だ。こうした低音の助奏にもかかわらず、またわたしの真近に約十匹ばかりの演奏家がおりながら、結局、かぼそい奏楽だ。その音響には強烈さがない。わたしの老いぼれた鼓膜は、そうした鳴響的な微妙さを常に感受することはできない。

×

夕暮の最後の薄明りの中を、物思いしながら、あてどなく庭をさまよっている時、わたしは、可愛らしい蟇(ひき)に出くわすようなことが幾度あるか知れない。なにものかが逃げようとして、わたしの爪先でもんどり打ってこそこそにげる。風に舞う落葉かとおもえば、そうでもないらしい。それこそ、かわいらしい蟇であって、わたしに巡礼の邪魔をされたところなのだ。かれはいそいで、石だとか一塊の土くれだとか、芝生のしげみなどの下に身を避け、感動が鎮まると、さっそくまたあの透明な調べを奏ではじめる。国をあげての悦びと楽しみの今宵、一打(ダース)ばかりの蟇が、わたしの周囲でわれ勝ちに鐘を鳴らしている。大部分のものは、幾列にもぎっしりとならべられて、わたしの家の前に玄関をつくっている花鉢の間でうずくまっている。めいめいに独特の調子をもっていて、それはいつ変えることなく、あるものはよりよく荘重だったり、またあるものはより鋭かったりするが、十分に耳を満たすような、またなんとも言えない純粋さを帯びた明朗な調子である。かれらは間のびのした、拍子のとれたリズムを奏しながら連祷(れんとう)をとなえてでもいるようだ。あるものが《クリュック》といえば、もっと喉のいい奴が《クリック》とこたえ、さらに三番目の、この仲間でのテノールが《クロック》とつけ加える。そして、それが限りなくくりかえされるところは、さながら祭日の村の鐘々の共鳴だ。

クリュック……クリック……クロック――クリュック……クリック……クロック……。

両棲脊椎動物のこの男声合唱団は、六つになったわたしの耳に音の魔力というものが感じられて来はじめた頃、わたしの渇望のまとだった一種の撫琴（ぶきん）を思い出させる。けれども歌としてはこの連祷には頭も尾もない。純粋の音としてはじつに快美である。自然の奏楽においてはあらゆる音楽がそうである。われわれの耳はそこに崇高な音を発見し、ついで耳が洗練されると、鳴響の現実を越えて、美の第一条件たる秩序の感覚を獲得する。

（宵深く、蝉も声をひそめている）

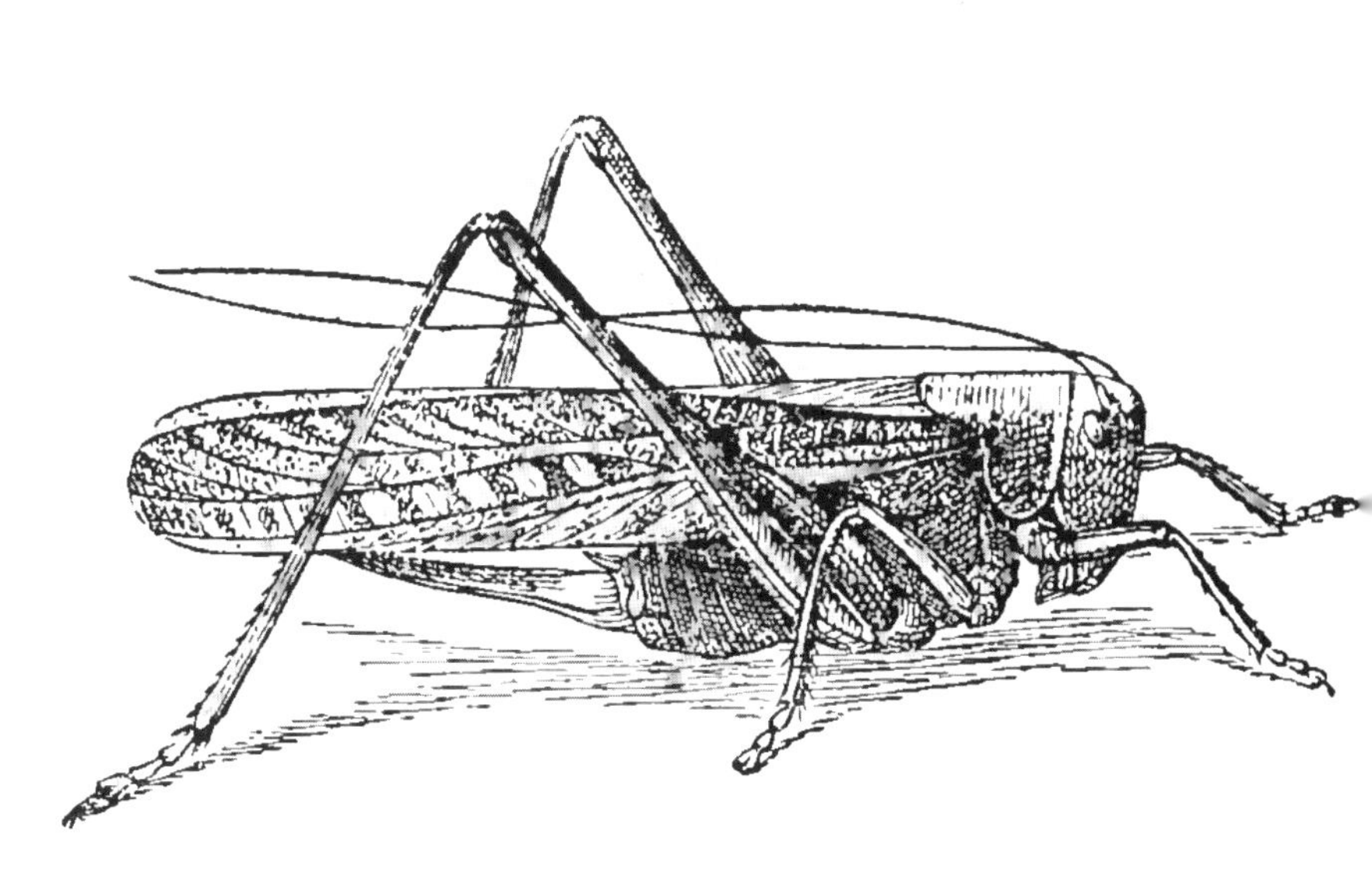

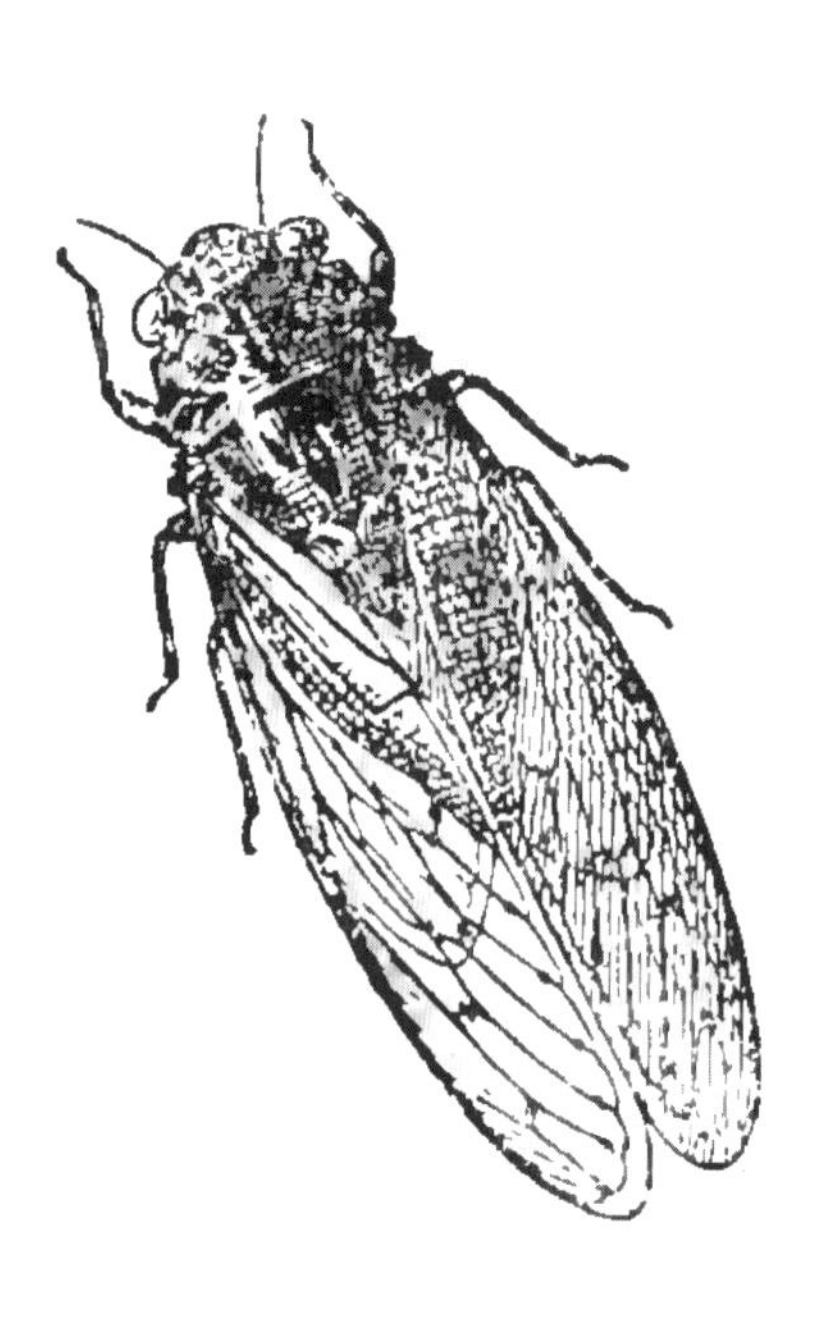

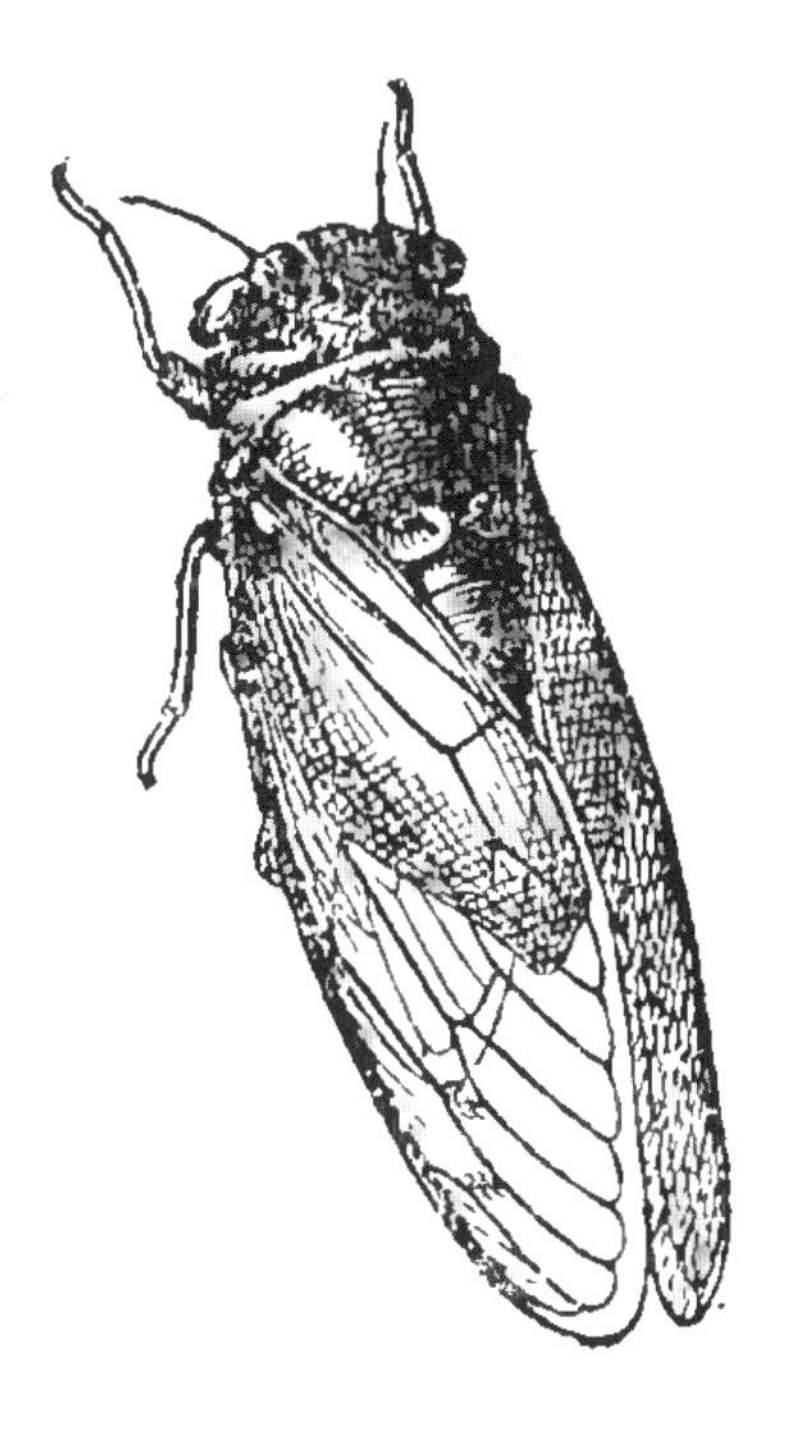

村祭でにぎやかな夜にも蜘蛛は
はた織り仕事をやめることはない。

八月の第一日曜は、村の鎮守のお祭、つまり、石で打ち殺された聖エティエンヌ様のお祭である。きょうは火曜日で、お祭さわぎの第三日目だ。今宵は九時にお祭の最後をつげる花火があげられる筈である。この騒ぎは、ちょうどわたしの蜘蛛が仕事をしている箇所から数歩ばかり、家の戸口の前の街道でおこなわれようというのである。

はた織り蜘蛛は、村の役人たちが、楽隊と松脂(まつやに)の松明(たいまつ)を手にした子どもたちをあとにしたがえてやって来たとき、ちょうど、その大きな螺旋の製作にかかっているところであった。わたしは花火見物よりも、動物の心理に一しおの興をおぼえて、龕灯(がんとう)を手にして、蜘蛛のすることを見守っていた。群集のどよめき、祝砲のとどろき、空中に炸裂する花火玉の連ぞく爆音、火箭(ひや)がひゅうっとうなる音、火花の雨、とつ如としてあらわれる赤、白、青の稲妻、いずれも蜘蛛を動かすことはできなかった。蜘蛛は規則正しく、普段の静かな晩にするように、くるくると回転しているのである。嘗てわたしは篠懸（すずかけ）の木の下で砲をぶっぱなして、その轟音で蝉の合奏をためしてみたことがあるが、それでも蝉はその合奏を止めはしなかった。てんでびくともしなかった。同日は、祭の夜の大騒ぎの眩惑（げんわく）、花火の連ぞく爆発にあっても、蜘蛛ははた織り仕事をやめないのである。まったく、わたしの隣人にとっては、世界が没落してもびくともするものではない。村がダイナマイトでひっくりかえされ、吹き飛ばされても、蜘蛛はこんな些事には度を失うようなことはないだろう。いつまでも、こうして心静かに、泰然として網つくりをつづけてゆくことであろう。

（村祭とくもの仕事）

昆虫は最初の抒情詩人だった。人間はおくれて非常にすぐれたその方法を学ばなければならなかった。

最初の抒情詩人、それは、いろいろな種類の甲虫類である。芸術は物の世界にかたちといろとおととの三つの開拓地をもっている。彫刻家はかたちをつくる。かれは鑿（のみ）が人生を模倣しうるかぎり、完全な物の姿を写そうとする。線画家も物の姿を写すのであるが、かれは白と黒とで、平面に立体の幻覚を与えようとつとめる。画家には姿を写す困難のほかに、さらにむずかしさにかわりのないいろをうつす困難がある。

いずれにも、無限にモデルがある。画家のパレットがどんなに豊富であっても、それはつねに自然のパレットに劣るであろう。彫刻家の鑿も、やはり自然の造形術の宝をくみつくすことはできないであろう。

かたちといろ、りんかくの美と、光のたわむれとは、ものをながめることによってまなばれる。それは模倣されることだ。われわれの気分にしたがって組み合わされるが、それは決してひとりでに生まれるものではない。それとはちがい、ものの交響楽にあって、われわれの音楽は原型、すなわちモデルというものをもたない。もちろん、よわいにせよ、つよいにせよ、やわらかいにせよ、重々しいにせよ、音響はないわけではない。髪をふりみだしたような森をつらぬいて吼(ほ)える暴風雨、海岸を洗う波、雲間にこだましてなりひびく雷は、その雄大な音でわれわれの心をうごかすものだ。

松の細い葉を洩(も)るそよ風、春の花にささやく蜜蜂の声は、微妙な音を知る耳をたのしますものだ。けれどもそれは、音と音との間に、れんらくをもたない。吼える声、驢馬(ろば)のなき声、豚のぶうぶういう音、馬のいななき、さては牛の声、羊のなく声、われわれをとりまいて、日夜きこえてくる発音は、すべてそうしたものにかぎられている。これらの要素の組み合わされたスコアは、調子外れの音楽と呼ばれる。いちじるしい例外として、これらのがさつなそうぞうしい仲間の、最上位に位する人間は、歌うことができるのだ。なにものも人間とともにもつことのできないその特性、その比類なき言葉の才能を生んだ調音は、人間に正確な唱歌法を学ばしめた。

模倣すべきものをもたないその習得には辛苦しなければならなかった。

有史以前のわれわれの祖先が、マンモス狩からかえったときの祝宴で、えぞいちごやうつぼぐさの実でつくった酒にうっとりとしたとき、その粗暴な喉からでるものは何であっただろうか？　楽典にかなった歌声であっただろうか？

もちろんそうではなかった。それは岩石に覆われた穴の円天井をふるわすことのできた沢山な嗄（しゃが）れ声であった。

暴々（あらあら）しい仕事が叫び声を価値づけていたのだ。岩石ではない居酒屋で、喉に景気がつけば、今日でも原始時代の歌はきかれるだろう。

先史時代のぎごちない声をもったテノールの歌手は、硅石の尖端をうごかして、象牙の面に、捕獲したばかりの巨獣の姿をきざむことをよく知っていた。

神体の頬を紅がらでかざることも知っていた。色のついた脂肪で自分の体を彩色していた形と色とはそのモデルがゆたかであったが、調子にあった音はモデルをもたなかった。

進歩は楽器をつくって喉に吹かした。

人は若木であらけずりの管をつくって笛となし、吹きならした。大麦の茎を鳴らしたり、葦の管を吹いてうつくしい麦笛や葦笛をかなでた。手をあわせて、そのなかで二本の指にささえられたかたつむりの殻は、鷓鴣の声に似た音を立てた。広い木の皮を巻いてつくったつののようなラッパは、牡牛の声を立てた。

ひょうたんの空の胴に張りわたした幾本かの腹線は、絃楽器としての最初の音符を軋らせた。山羊の膀胱を堅いわくに張ったものは音響膜の最初のものとなった。調子よく振られて、打ち合う平たい二つの小石は、カスタネットの打ち合う音のはじまりである。

これらは当然原始音楽の材料であったし、子どもたちが今日でも未だに用いているものである。子どもたちはその幼稚な芸術性において往時の大きい子供の姿をしのばせている。

×

古代古典家の人々もテオクリトス【原注　西紀前三百年頃ギリシアのシラクユスに生まれた詩人。『イディール』と『エピグラム』とが有名。田園詩に美しきもの多し。】やヴィルギリウス【原注　西紀前七〇—後一九。ギリシアのホメーロスと並び称されたローマ最大の叙事詩人。ローマ建国の由来を歌った長詩『エネイード』のほか、教訓詩、牧歌等あり。】の詩中に現われてくる羊童が示しているもの以外のものを知らなかったのだ。

Syvestrem teneri musam meditaris avena.

野のものの、しらべを吹きつ……》

《いとかるき草笛もて

と、メリベーはティティル【原注　メリベー、ティティル——いずれもヴィルギリウスの対話風の牧歌に出てくる羊飼。】に云った。わたしの青年のころに訳読させられたような、その燕麦の茎から、その草笛から、なにを期待すべきであろうか？　詩人は修辞学の上で《かるい草笛》と書いたのであろうか？

それともかれは、じっさいのことを表現したのであろうか？　わたしは、じっさいのことだろうとおもうのである。わたし自身も草笛の歌はきいたことがあるからだ。それは、コルシカ島、アジアッシオでのことであった。一とにぎりのボンボンをやったお礼にと、近所の、数人の子どもたちが、ある日のこと、わたしにセレナアデをきかしてくれた。わたしはそのとき、おもいがけなく、田舎らしい歌の一節からふしぎな、めずらかな、しかも、ものやさしい音色をきいたのである。わたしはおもわず窓べに走り寄った。

あの、長靴ほどの背の高さの合唱隊は、窓下にいならび、まん中には歌手長を入れて、せいぜんと円周をえがいていた。そのほとんど全てが、紡錘（つむ）の腹のようにふくらんだ玉葱（たまねぎ）の茎を唇にあてていた。

その他のものは麦笛をもったり、まだよく色づかず、そう堅くならぬ葦の茎をもっていた。かれらはそれを吹き奏したというよりもむしろ、多分にギリシアの遺風である低い調子で、鎮魂曲を歌ったのであった。

もちろんそれは、われわれがいつも耳にしているような音楽などではない。といってけっしてでたらめな音ではなかった。

極り(おわり)のはっきりとしない、波打つような、素朴な狂わせ方をした単調な歌であった。いや、それは美しい音色とりどりの花束であった。藁笛の音が、胴のふくれた茎のふるわせる音をきわだたせていた。わたしは玉葱の切れはしのシンフォニーにいたくおどろかされてしまった。まったくこのようにして、あの古代ギリシアの詩聖たちの牧歌の中の羊童たちは、軽くただ軽く草笛を吹きならしていたにちがいない。まったく、このようにして、有史以前の花嫁の歌はうたわれたにちがいない。まことにあの、コルシカの子どもたちのアリアは、迷迭香(まんねんこう)に来てとまる蜜蜂の羽音にまがうようなあの歌は、わたしの思い出にいつまでいつまでも、あざやかにきざみついて、消えることはないであろう。ああ、いまでもそれはわたしの耳にあざとくもきこえている。

それはわたしに昔の文学があれほどまでに讃えた野笛の価値をおしえてくれた。われわれはそうした素朴さから、なんとかけはなれていることであろう！

（中略）

今から二千三百年以上のむかし、ギリシア中の人々は金色の髪をした、太陽のフォイボスを祭るために、デルフィアに集った。

かれらは宗教的な恍惚と感激にとらわれて、声高くアポロンの歌をうたった。それは数行からなる歌曲で、わずかにここかしこ、笛と六絃琴との弱い調子で活気づけられるだけのものであった。傑作として賞賛されて神にささげられた歌は、大理石の卓子のおもてに彫りきざまれた。考古学者たちは最近それを発掘した。

（中略）

アポロンの讃歌をきくためには、いつかわたしに玉葱の茎のささやきを心地よく感じさせてくれた時のような、単純な心にかえらなければならないだろう。われわれはそのような状態になることはないだろう。けれども、たとえ今日の音楽はデルフィヤの大理石に感興を覚えなくても、彫像術と建築術とは、つねにギリシアの作品に比類のない完全な模範を見出している。

自然の事物によって定められる好模範をもたない音の芸術は変化しやすい。

われわれの流動する嗜好のために、今日完全なものも、明日はつまらぬものとなってしまう。形の芸術はそれとことかわって現実のうごかぬ基礎の上に定められ、前代において美と見られたものに、つねに美を見出している。

音楽の標準はいずこにもない。ビュッフォン【原注　フランス、十八世紀の作家。博物学者としても有名。一七〇七―一七八八。】が立派な讃辞を呈した鶯（うぐいす）の歌にもない。人を侮蔑する意志がないとすれば、自分の意見を述べないわけにはいかないといったようなビュッフォンの文体論と鶯の歌とは、いずれもわたしを動かすものではない。前者は修解の臭味がありすぎて、真実な感激に欠けている。後者は配合の悪い音を立てるうつくしい真珠の箱である。だから魂にうったえるところがほとんどない。一文瓶に水をはって、小笛を装置したものでも、子供の唇にふれて、すばらしい抒情歌の、美しい旋転の音を立てているのだ。すゝもの、つゝくりのこしらえるつまらぬものでも、でたらめに音を立てて鶯に匹敵する音を立てている。うつくしい空気の振動をこころみる鳥よりも高等になると、吼えるもの、驢馬のようになくもの、豚のようにぶうぶういうものなどで、最後は、ひとり話すことができ、本当に歌うことのできる人間になる。下等の方になるというと、蛙のように鳴くものと、音を立てぬものとがある。肺臓の送風器に二つ口があって、それが無数の穴にわかれて無定形な騒音を立てる。さらに下ってゆくと、非常に早く発生した昆虫になる。地上の生物の先駆となって生まれた昆虫は、さすがに最初の抒情詩人だったのである。声帯を振動させるに適した呼吸を持たないかれらは、弓とわが身を摩擦することを発明した。人間はおくれてその非常にすぐれた方法を学ばねばならなかった——というわけである。

（最初の抒情詩人）抄録

四月、わたしの庭でみられる、天と地の宴のこと。

わたしの窓のすぐ前に、泉水（せんすい）がある。泉水をとりかこんで低い土手がある。この土手の上に一本の桜の木が立っている。

この、見るからにたくましい野生の樹木は、まえに住んでいたひとびとは何のかかわりもなしに、偶然、そこに生えたものなのだ。けれども、今日となっては、あんまりぱっとしない味のその果実よりも、このもっさりとした、見るからにゆたかな感じをあたえてくれる枝ぶりゆえに、此上（こよ）なくいつくしみ、愛（め）でられている。

四月になると、何ともいえず、美しい白繻子（しろしゅす）の円（まる）天井ができる。枝の下には、ひひとして、時わかず、雪にもまがう花が散る。ひらひらと、舞いの手軽くちり敷いた花びらは、あたかもじゅうたんのように地面いっぱいを、うす紅に染めてくれる。

やがてかわいい桜んぼが、ぱっちりとつぶらに紅（あか）く熟してくる。

ああ、私の美しい樹立よ。ほんとにおまえは、どれほど豊かに実をもつことか！　おまえの、ありあまる慈しみから、なんと豊かに、多くの籠をみたしてくれることであろうか！　それにまた、樹の上はどうだ。なんという、心ときめかす、にぎやかなお祭であろう！

桜んぼの熟したことをまっさきに知った雀は、朝夕群をなして、そこへやってきて、つぶらな赤い実をついばんだり、さえずったりしている。

雀のしらせによって、近所の友だちであるあおじだののじこだのがかけつけてきては、何週間ものあいだ舌なめずりをするのだ。

蝶は傷ついた桜んぼから桜んぼへと、とびまわって、おいしい汁を吸いとる。

おおはなむぐりは、桜んぼを口いっぱいに頬ばってはたらふく食べる、食べあきるとうっとりとねむりこけてしまう。

すずめばちやほそながばちが、この砂糖袋を食いやぶると、それを見ていた小蠅が、まっていましたとばかり、あつまってきて、たちまちのうちに、しとどに酔ってこれもまたねむってしまう。ぶよぶよにふとった蛆虫どもも馳せ参じ、果肉の中におさまりかえる。いつしか汁の多いこの宮殿に腰をすえ、しごくのんびりと腹ごしらえをする。見る見る大きくなり、脂ぎって来る。そして食卓から立ち上ると、どうだろう、またたく間に、楚々たる蠅に姿を変えてしまうのだ。

　そらのうたげはこの通りだが、ひるがえって、大地を見れば、そこにもまた、別のお客さまが、どこからとなくおあつまりで、みそらのうたげにおとらぬにぎわしさである。枝から落ちた桜んぼを肴に、てくてくと歩いて生きてる連中、羽のない先生たちが、寄ってたかっての、つきることない歓楽なのだ。夜になると、野ねずみや、わらじむしや、はさみむしや、蟻や、なめくじが、肉があらましなくなったあげくのはての核をひろいにやってくる。そして、これを穴蔵の奥ふかく大切にしまいこむのだ。冬になるとひまになる。そのひまにまかせて、こつこつと、この核に孔をあけて、かれらはその中の種をおいしそうに食べるのである。数かぎりない連中が、この寛大な桜の木のおかげで生きているのだ。

　いつの日か、この桜の木が姿を消す頃、それにかわって、自分の種族を調和よく、しかも均衡のよくとれた繁栄の状態に維持させてくれるには、一体何が必要なのだろうか？　いやそう心配したものではない。それにはただ一つの種子がありさえすれば十分だ。それだのに、毎年毎年この桜の木は、不必要なほど何千何百、幾升もの桝でさえはかりきれぬほどの種子をならせているのだ。一体これは何のためなのであろうか、わたしたちは、この場合、桜の木について、こういうことが言えるだろうか？

《最初のうち、桜の木には、実を非常に節約して、ごくちょっぴりしかならせないようにしていたのだが、桜んぼを食いに来る無数の虫どもによって、桜の木そのものに害をあたえられるのではこまるからというわけで、次第と沢山に実をならせるようになったのだ。》と、いうようなことがいえるであろうか？

たとえば、かまきりの場合と同じように、桜についても《やたらに食いつくされるので、だんだんと過度に生産するようになった。》といえるであろうか。こんな途法もないことを誰がいえるだろうか？　桜の木は、いろいろな元素がはたらいて、有機物質に変化してゆく一つの工場であり、無生物が生物に変ってゆく実験室なることはあまりにも明らかなことではないか？　この桜の木なるものは、うたがいなく、自分の種（しゅ）をたもってゆくためにのみ桜んぼをみのらせるのだ。決して虫をふとらせるためではない。自分の種をたもたせるために、しかもごくちょっぴり、ごくわずかしかみのらせはしない。もしもすべての種子が芽生えて、十分に発育しなければならないとすれば、地上にはずっとむかしから、一本の桜の木のためにさえ場所がなくなっていたことであろう。だからその果実大多数はそれとちがった役割をもっているとしか考えることはできない。

それは、植物（野菜）のような、そのままでは食べられないものを食べられるようにする卓絶（たくぜつ）した化学をあまりよく心得ていない多くの生物の食物となるのである。

×

物質は生命という至高の顕現（けんげん）に呼びだされるためには、きわめて緩徐（かんじょ）で、極（ご）く精緻（せいち）な仕上げが必要なのである。それは無限に小さい研究所（オフィスイヌ）、たとえば微生物（ミクロオフ）の中ではじまるのである。その中のあるものは、電撃（でんげき）の烈しさよりも強力に酸素と窒素とを化合させ、植物の何よりも大切な栄養たる硝酸塩をこしらえる。それは無に近いものからはじまって、植物の中で完成され、動物の中でさらに仕上げを受け、段々と脳実質（la substance du cerveau）にまで上ることができるのだ。

×

いかに多くの眼に見えぬ労働者、いかに多くの知られざる手工者たちが、おそらく何世紀もの間、鉱物の発掘に、次いではわたしたちに《二二んが四》といわせることができるだけでも、精神のいともおどろくべき道具なる脳髄の髄質の精製にはたらいて来たことであろう。

空にのぼってゆく花火は、一番高みに登りきるときまでじっとためておいた色とりどりのまばゆい火花を、やっと絶点に達してはじめて散華（さんげ）させるのである。この煙から、この瓦斯（ガス）から、この酸化物から、永い永い間には、植物という道を通って来て、また別の花火がつくられるかも知れない。物質は、すべてこんな風にして変態してゆくのである。一つの段階から次の段階へ、一つの精巧な仕上げから、もっと精巧な他の仕上げへと、物質は、その媒介物によって、壮麗な思想の花を咲かせる高さにまで達するようになる。それから努力によって打ち砕かれて、物質は自分がもと生れて来た名もないもの、生物にとっての共通の起原である、あの崩壊した分子にかえゆくのである。

×

有機物質の集成係（アンサンブルール）の筆頭には、動物の兄貴分なる植物がある。植物は地質時代における時と同じように、今日でもなお直接間接に、さらに高度の生物に対する第一の食物供給者である。その細胞の小研究室の中では、あらゆる食物がつくられるか、さもなければすくなくとも、下ごしらえされる。動物がやってきて、この食物に手をつけ、それを改良し、それを一層高い種類の他の動物に伝える。草が食べられてそれが羊の肉になり、その羊の肉はそれを食べる者次第によって、人間の肉となり、狼の肉ともなるのだ。

植物のように、鉱物にまで手をつけて、あらゆる種類の有機物質をつくりだすのではない、栄養分の調合者の中で、もっとも多産なものは魚である。魚となると、これはまた、骨をそなえた動物中一番最初に地上に生まれた生物である。まあ、こころみに、鱈にむかって、こうきいてみるがいい。

《一体、君のその幾百万とも知れない無数の卵を、どうするのかね？》

すると彼は、幾十億の実をつけている山毛欅や、幾十億のどんぐりをつけている樫と同じように答えるだろう。鱈は無数の餓えたる者に食物を与えるために、巨大な生産力をもっているのである。それは自然が未だ有機物質をあまり沢山持っていないので、初期の労働者たちに奇蹟的な繁殖力を与えて、大いそぎで生命の貯蔵を殖やそうとしていた太古の先祖の仕事をつづけているのである。

（天と地の宴）

夏至のころにあらわれる、虫の詩趣について。

美しいまつのこふきこがねは、初蝉とほぼ同時にあらわれる。それは夏至(げし)のころである。その、きわめて正確な出現は、四季の暦(こよみ)におとらず規則ただしい昆虫学の暦に彼をつらねさせるのである。

暮れなやんで、とり入れどきを金色(こんじき)にいろどるあの、長い長い日がやってくると、かれはきまって松の木に駆けつける。

太陽の祭の名残なる、聖ヨハネの火――村の小路で村童たちが火を焚(た)くが、この火祭も、この虫ほどに正確な日附をもたない。

（夏至の虫の詩趣）

七月八月の暑い日、私はいつでもこのイッサアルの森で午後いっぱいを観察のために過(すご)している。

それは、アヴィニオンからさして遠くはない。ロオヌ河の右岸、デュランス河の口に面している。

はなだかばち類の観察にとって、一番具合のいい場所なので、私の大好きな地点の一つである。けれども、森という言葉の価値について誤解のないようにしていただきたい。森と一口にいえば一般には、何ともいえずすがすがしい苔のもうせんの、いっぱいに敷きつめてある地面とか、あるいは木の葉のすき間から、うすあかりのもれてくる高い大樹林の天蓋(てんがい)などを、誰でも先(ま)ず眼の前に浮べて見るからだ。ところが、蒼白(あおじろ)いオリイヴの木の幹に、蝉しぐれがつづき、一日いっぱい焼けつくような陽のさしている灼熱の平野には、こうした樹蔭のみずみずしさにあふれた爽やかなかくれ場などあるものではないのだ。

イッサアルの森というのは、その根もとにおいてですらも、容易には太陽の炎熱をやわらげることのできないみすぼらしい枝葉のほんのちょっぴりと生えている、人の高さほどもある青樫の生えた輪伐樹林なのだ。土用・七月八月の暑い日に、私はいつでもこの森のどこかで午後いっぱいを観察のために過すことにしていた。わたしは、いつも、そんなときには大きな傘を唯一の避難所としていた。この傘はあとになって、全く思いがけなくも、それとは別の関係から、はなはだ有難い助けをしてくれることになったのだが、そのことについては又、いずれ折を見て書きしるすことにしよう。

さて、長時間歩きまわるのに不便だからといって、この傘を持ってゆくのをおこたりでもしたら大変だ。ぎらぎらと照りつける強烈な日光をふせぐ唯一の手段は小さな砂山のうしろに横になって寝るよりほかに仕方がなかった。そうして、血管が、頭蓋の中でぐらぐらと沸きたぎりそうになるときには、一番いい方法として、兎の巣の中に頭を突き込むことであった。

イッサアルの森で涼をとる唯一の方法といえばまあこんなものだ。あいにくこの土地には、木質の植物の繁みというものがなく、土地全体が、まあいわばほとんど裸で、まことにこまかい乾ききったきわめて動きやすい砂から成り立っている。そよりとの風にも軽い砂は塵雲(じんうん)をあげる。吹きとばされた砂は、青樫の株だの根だのにさえぎられ、いたるところに小さな砂山が盛り上っている。そしてこの砂丘の勾配はおおむね平々坦々(へいへいたんたん)たるものだ。それはその砂がごく動き易(やす)くて、ちょっとくぼみがあるとすぐくずれ出し、自然とまたその表面を均(なら)してしまうからだ。砂のなかに指をつっこんでそれを抜きだしさえすれば、直(す)ぐに穴は自然と埋まる。砂崩れができて、目に見える何のあとかたものこさずに、もとの通りにしてしまうのだ。けれども、ある深さのところには、その深さは最初に雨があったかどうかの程度によってちがうのだが、多少のしめりっ気が砂にのこっていて、それがその砂をしっかりとささえて動かないようにさせ、すこしぐらい掘ってもその壁や円天井を崩さないだけの堅さにするのだ。そしてそこには暑い太陽や、すばらしく青い空や、蜂がそのかぼそい熊手で造作もなく穴の掘れる砂の勾配や、幼虫にとっておいしい食べものになってくれるゆたかな獲物や、通行人の足などほとんど決して近づくことのない、いたって平和な場所や、そのほか、わが親愛なるはなだかばちの気に入りそうなあらゆるものが、ことごとくそこにはぎっしりとあつまっているのである。

イッサアルの森こそ、灼熱の砂に浮び上る昆虫の勤勉な作業の聖場なのだ。

（イッサアルの森）

鳥と植物の章 3

野のさち、山のさちは、われわれの製作物である。けれども、けっしてわれわれの所有物ではないのだ。食物が集積されていれば、どんな場所へでも、かならず天の四方から消費者たちが走せつけるものだ。

フランスのこの地方の原野にやってくる、渡り鳥のこと。

八月から九月にかけて、オリイヴの木の生えしげっているわがフランスの、暑い地方に、いろいろな渡り鳥の群がやってくる。かれらは、その愛する国、ここよりもずっと涼しくて、もっともっと木がしげっていて、さらにずうっと平和な国、雛の育ての親なる国から降り立って来るのだ。かれらはまるでかれらだけにしかわからない暦の日附の手引きによってみちびかれてでもくるかのように、毎年ほとんどきまった日に、順序たがわずやってくる。しばらくの間かれらはその大部分のものの撰り好む食物である虫のゆたかにいる、この地方の野原にやってくるのだ。ここでしばらくをたのしくやどるのだ。そして畑の方へでかけて行っては土塊から土塊と飛び廻って、農夫の鋤が畝の中で掘り返したその大好物の虫の群を探し歩く。こうして直ぐにその臀を脂ぎらせてしまう。（栄養にあふれると小鳥は尻のところを黄色な脂肪塊で塞（ふさ）がれるのがつねだ。）これはやがて来るべき疲労にそなえるための栄養の貯蔵場であり、穀物庫なのだ。最後にこの食料が十分用意できると又も南へむけてその旅をつづけ、はるかスペインやイタリアの南部地方だとか、地中海諸島だとか、アフリカだとか、そうした冬のない国、常夏（とこなつ）の楽土、そして年中虫の絶えない国へ去って行く。

季節がくると、最初に姿を見せるのが浜ひばり、このプロヴァンス地方で俗にクレウーと呼んでいる可愛い奴だ。八月の月に入るか入らぬうちに、畑を荒す悪草セタリアの小さな種子をさがし求めて、小石の多い畑をあさりまわっているのが見られる。ちょっとでもおどろかすと、プロヴァンスなまりのその名がうまく真似（まね）ている、クレウー・クレウーと、鋭い喉音を立てて飛んで逃げる。そのつぎにやってくるのは、うまごやしの生えている古い畑で、のんきそうに小さなぞうむしやきりぎりすや蟻を食っているタリエー（Tarier）である。それといっしょに、鉄串にさして食えばとてもおいしい、さまざまの小鳥が来はじめる。それは八月までつづいて、さて八月の月にはいると、中でもひときわ有名な、その秀れた味を口にした人の忘れられないのびたきがやってくる。マルシャルの諷刺によって不朽のものとされたロオマのきひばりも、極度の食養のおかげで、いやというほど脂ぎっているこののびたきの香ばしくうまい肉玉にはかないっこない。この鳥はどんな種類の虫でもよろこんでちょうだいする。博物学的狩猟家としての私の記録はこの鳥の中の包蔵物に就いて証明を与えている。

そこには畑のすべての小さな虫がはいっている。——幼虫、ぞうむしのすべての種類、きりぎりす、とかげ、葉虫、こおろぎ、はさみむし、蜘蛛、わらじむし、かたつむり、むかで……などなど、その他あらゆる小さな虫けらでいっぱいになっている。さらに、このおそろしく美味な大御馳走に風味と色合いをあしらうために、葡萄だとか、きいちごだとか、ぐみの実だとかいったようなものが混っている。尻尾の白い羽をひろげたところは、どう見ても、胡蝶のそらかける姿に似通っているこののびたきは、土くれから土くれへととびうつりながら、こうしたメニウの御馳走を小休みもなしに追い求めているのだ。

そして彼がどの位まで肥えふとってゆくかは神様だけが御存知だ。肥える方法でこの鳥にまさっている鳥がたった一ついる。それはやはり同じ頃に渡ってきて、これもまた虫を食うことの大好きなひばりだ。

これは命名者が無鉄砲（むてっぽう）につけた名で、羊飼いたちは、躊躇（ちゅうちょ）するところなく、そのぬきんでて脂っぽい意味において、それをグラッセ、すなわち、脂太りと呼んでいる。この名だけで十分その特性を言いあらわしている。

どんな鳥だってこんなに太るものではない。脂のかたまりが羽の上や首の上や頭蓋の上にまでもかぶさって来て、全身がちょうどバターの小さな塊（かたま）りのようになるときが来る。

そうなると、このふしあわせな奴は、辛うじて桑の木から桑の木へと飛んで、その葉の繁みの中で、あまりぞうむしを好んで食いすぎた罰ともいうべき肥満病で息づまりそうになって喘ぐのである。

そろそろ秋風が立ち、九月もすぎて、ようやく十月の声をきく頃ともなれば、半灰半白の胸の上には黒天鵞絨（びろうど）の大きな頸（くび）当てのあるすらりとした白せきれいがやってくる。この美しい鳥は、尾を振ってちょこちょこ走りながら、農夫が馬をひいてゆくそのすぐ足もとについて行って、いま掘りおこしたばかりの、あたらしい畝(うね)の中で虫をつかまえる。それと時を同じくして雲雀が来る。最初は斥候(せっこう)として派遣された小部隊だが、その次には数知れぬ大部隊がやってきて、その常食なるセタリアの種子が沢山にある麦畑や耕地を占領する。すると、野原には、草の葉ごとにかかった露のしずくやつららがぴかぴかと光る中に、鏡が朝の太陽の光線の下でその間歇的(かんけつてき)の光をはなつ。その時狩人の手からはなたれた梟(ふくろう)は、少しばかり飛んで、下に落ちて、急にふんぞりかえり、おどろいたような眼をくるくるさせながら再びおきあがる。ひばりはこのぴかぴかと光る器械か、あるいはこのへんてこな鳥を、近くで見ようとして飛んで下りて来る。ひばりは、おりて来た。それ、そこだ、君のすぐ前、十五歩ばかりのところの空間に、あたかも霊鳩のように羽をひろげて、足をぶらぶらさせている。さあ、今だ、狙いを定めろ！　そして射て！

　私はこの書の読者諸君が、ぜひこのすばらしい狩りの感激を味わって下さるようにとおすすめしたい。この雲雀と一緒に、しかも往々同じ群の中にはいって、俗にシンというファルーズ（ひばりの一種）がやってくる。この俗名も同じくこの鳥の小さな叫び声を真似た擬声だ。この梟に夢中になって、その周囲をぐるぐるとそういつまでも飛びまわっているわけではない。もうこれ以上、このフランスを訪れる渡り鳥の品揃えをするのはやめよう。と、いうのは、その大部分がここにはちょっと腰かけ半分に来る程度以上を出ないのばかりだから。ここにはおびただしい食物、とりわけ昆虫が豊富なのだ。それにひきつけられてやってくる連中なのだし、たかだか二三週間、このあたりに滞在するのが関の山なのだから。さんざん食った虫のおかげで力づき、脂ぎり、肥えふとってくると、そろそろ南の空が恋しくなるらしく、南へ南へとはるかな旅路をつづけるのだ。

　その他のものはごく少数ではあるが、避寒地として、雪もめったに見ない、そしてどんなに烈(はげ)しい寒さの時でも、地面にかなり沢山の穀粒のころがっているこのフランスの原野を選ぶのだ。麦畑だの耕作地を食いものにするひばりがそれだ。また、とりわけうまごやしの畑だとか、牧草地だとかを好むファルーズもやっぱりそれの類(たぐい)だ。ほとんどフランスいたるところにこれほどありふれているひばりも、このヴォクリユウズ県にはごくまれである。めずらしいとさえ思われる位(くらい)だ。そのかとさかわり、毛冠のある雲雀がいる。その名をコスュヴィスという。このコスュヴィスという奴は、大道——国道や県道のような——が妙におきにいりで、いつも道路工夫たちの友達になっている。けれども、この雲雀の家族の好きな場所を見つけるのに、そう遠くの北の方まででかけて行くことはいらない。こことなりあわせのドロオム県へゆくと、そこには年百年中、この鳥がいっぱいに群れている。この事実から考えて見ると、秋いっぱいと冬いっぱいとをフランスの野原を占領しに来る雲雀の中でも、その多くはドロオム県より南には下れないものらしい。つまり、かれらにとって、雪がなくて、ただ穀物の種子だけは間ちがいなくころがっている野原をわがものとするには、もっぱらとなりの県へ渡って行きさえすればいいわけだ。

×

話は別だが、ヴァントゥ山の頂上で見たじがばちの群も、これと同じように短い距離の間の移住がその原因らしく思われる。じがばちだって、やっぱり雲雀とおなじようにひどい寒さの季節に対しては防護をしなければならない。花が咲くまで何も食べずに平気で生きていられるのだから、食物の欠乏はすこしも恐れるに足りないかも知れぬが、あのように寒がりやの彼にとってはすくなくとも致命的な寒さに対する保証を必要とするのだ。そこでじがばちは雪の多い地方や、土深く凍る国を避けて逃げるのだ。あたかも鳥のように密集して移住隊をつくって、山を越え、谷をわたり、南方の太陽があたためてくれている古い垣根や砂のどてにその住家をさがしもとめに行くのだ。寒さが過ぎると、その一隊はまた、全部か、あるいはその一部分が、もと来た場所へ帰るのだ。

これでヴァントゥ山のじがばちの動静がわかったわけだ。それはオリイヴの木立しげる暖(あたたか)い野原に降りてゆこうとして、ドロオム地方の寒い土地からはるばるとやって来て、トゥルランクの深い大きな谷を越えてきて、かわいそうに雨に降りこめられ、動きもならずヴァントゥ山のいただきでせき止められた移住民たちなのだ。

小さな渡り鳥どもがその隊商の行列をはじめるころになると、じがばちも、おなじように寒い地方から、もっともっと暖(あたたか)い隣りの地方へとその旅につくのだ。谷をわたり、山を越え、そのあくがれの気候を慕(した)いながら……。

（フランスの渡り鳥）

動物の知力はすこしも予備的な試みをまたないで、いきなりあらわれて出ることがある。

動物の知力は、せまい範囲でだけは幾らかの融通性をもっている。ある一つの場合に、かれらの工業がわれわれにみせてくれるのは、かならずしもその技倆の全部ではない。そこにはまだ、ある場合のためにとって置かれた潜在的な手段がかくれている。それらはあるいは幾代も幾代も使用されないかも知れないが。しかし、もし事情にして要求するならば、すこしも予備的な試みをまたないで、いきなりあらわれて出るのだ。それはあたかも、燧石(ひうちいし)の中に実質的にかくれている火花が、それより前の火花とは何の関係もなしに、とびだしてくるのと同じである。

雀の巣は瓦の下にあるものとばかり考える人は、樹木の梢にあるその毬形の巣を想像することができるであろうか？　オスミア蜂の巣といえばかたつむりの空殻にかぎったものと思うひとは、それが芦の茎や、紙の管や、硝子管などをもやはり住居にするとは考えつくまい。

わたしの家の屋根にいる雀は、ひょいひょいと思いついて、プラタアヌの梢へ移った。石切場のオスミア蜂は生まれの家なる貝殻をふりすて、わたしの作ってやった芦に移った。そのいずれも動物の工業の変化が、どんなに突然に、どんなに素直に行われるかをわれわれに示している。

（いきなり現われる知力のこと）

鳥の卵、それは自然界でもっとも単純でもっとも優美なもののひとつだ。

造化（ぞうか）が、その、もろもろの作品にあたえるさまざまの形の中で、もっとも単純で、もっとも優美なものの一つは、まちがいなく鳥の卵の形であろう。

有機体の幾何学的基本形である円と楕のもつ高雅な味わいが、これほど手ぎわよく配合されたものは、他にみられない。

両端の一方はみごとな形の球面で、もっともすくない表面積の中にもっとも大きな容積を包みこむことができるのだ。

他の一方は乳房のような楕円体で、前の大きい頭のきびしいほどの単調さをやわらげている。おなじく、非常に単純な色彩が、そのあでやかさと、形のあでやかさの上に加わっている。あるものは石灰質の艶消しの白で、あるものはまたみがきこめられた象牙のように白く透きとおっている。せきれいの卵は、驟雨（しゅうう）が一洗いしたあとの空の青さに似た、やわらかな碧(あお)みをもっている。夜鶯の卵は暗緑色で、塩水につけた橄欖(かんらん)の色によく似ている。ある種の紅鶸(べにひわ)類のものは眼がさめるように美しい淡紅色で、あたかもまだ開かぬ蕾(つぼみ)の薔薇の色である。ほおじろのたぐいは、その卵の殻に、一寸読み取れそうにもない魔法の書を描きだしている。言おうなら、線と雲斑とのいみじくも美しく入りまじわった大理石模様を染めだしている。

もずの卵はどうかというと、大きな方の端が斑点のある王冠でおおわれている。つぐみやからすのそれはみどりがかった青い地の上に、褐色の水しぶきをところまんだらに散らしている。たいしゃくしぎやかものたぐいになると、卵一面に大きな斑紋を染め、豹の毛皮を真似ている。

他のものも、これと似たりよったりである。めいめいにその特徴があり、その商標があり、つねにその色調は素朴で、ただその配合だけで価値をつくりだしている。その幾何学とその装飾との微妙な単純さによって、鳥の卵は人の眼をなぐさめ、決して疲らせることはない。

わたしの仕事部屋へはときどき近所のいたずら小僧たちが、招き入れられる。それは、かれらが、ちょいちょい、わたしの手助けをして、よくいろいろなめずらしい鳥や、昆虫などをあつめてきてくれるお礼としてであった。だが、これらの無邪気な少年たちは、かねがね、すばらしい噂をきいていたこの仕事部屋で何を見るだろうか？　かれらは先ず、ガラス戸のはまった大きな戸棚のなかに、鉱物や植物や動物に関する参考品が、たがいにとなりあったでたらめなかたまりになっているのを、めずらしそうに眺めるのである。なかでも貝類が最もかれらをひきつける。肩でこづき合いながら、私のおどおどとしたお客さんたちは、しじゅうはしゃぎ喜びながら、あらゆる形の、そしてあらゆる色彩の、海のすばらしい貝類に眼をみはっているのである。その真珠色をしたつやや、大きさや、ふしぎなてのひらの形などで、とりわけ人目をひくものの形を、自分たちの指で、あれやこれやと真似てみせるのである。かれらはわたしのコレクシオンにみとれ、わたしはかれらの顔つきにみとれる。そして、そこにわたしは、驚愕や、喪心を見てとる以外の何ものもなかった。

　あつめたこれらの海の産物は、初心者にとっては形のあまりに複雑な、そして何と言いあらわしていいか解らない神秘な品物である。螺旋階段形や、渦巻や、螺旋や、大きな凹んだ貝殻などの、あまりに高尚な幾何学に見とれた少年たちは、ぼんやりと我れを忘れてしまっているのだ。海洋のコレクシオンの戸棚のまえで、かれらはほとんど体中まで冷い気もちになっているのである。

もしわたしがかれらの感想の真底をただすことができるなら、少年たちは、《なんてふしぎなものなんだろう!》とは言うが、《なんてうつくしいんだろう!》とは言わないだろう。

×

ところが、こんどは綿の上に光をさけて、この地方の鳥の卵が、一と産みの卵ずつの数に分けられてある小函については、すっかり少年たちの様子がかわってしまう。頬は感動にかがやきだし、そのもっともうつくしい一函のえり好みについて、あちらでもこちらでも、ささやきが耳にささやかれる。

それはもはや喪心などではなく、無邪気な感嘆である。じっさい、卵が子どもたちにとっての無上の喜びなる鳥の巣や、小鳥を思い出させることは言うまでもないが、また、かれらの面上には、美の清浄な感激がよみとられるのだ。

海の宝玉類はわたしの小さな訪問者たちをおどろかさせたが、卵のうつくしい単純さはかれらを静かに感動させたのである。

（鳥の卵）

鳥と植物の章

隣り合って住むことがなかった鶯が小さな林に沢山集まってきた理由。

鶯には、めいめいに、おそろしくきびしい狩猟区がある。じつに猛烈な嫉妬深さと偏狭さとで、おのれの区域をしっかりと守っている。

鶯は、けっして他の鳥と隣り合って住むというようなことをせぬ。いや同じ鶯同士でも、それぞれひとりぼっちで住んでいるのだ。遠く距離をへだてて、しばしば雄たちの間では競い啼きで呼び合うことはあるけれども、もしも相手が呼び寄せられて近づいてくれれば、いそいでそれを追っ払ってしまうのである。ところが、わたしの家からあまり遠くない、緑樫の繁った小さな林の中で、樵夫がやっと十二把ばかりの薪さえもあつめうるかどうかとあやぶまれるほどの、ちっぽけな林の中で、春になるごとに、わたしはそうぞうしい鶯の啼声を聞くのであった。

このやかましい歌い手の歌声は、同時に声をそろえて何の秩序もなく一せいに起るのだ。耳を聾するばかりの騒音だ。これらの孤独の熱愛者どもが、いつもならちょうど一匹の生活しかできないほどの区域の中に、どうしたわけから、こんなにも沢山集ってくるのだろうか？　一体どんな動機から、孤独者たちがこんなに集合しているのだろうか？　この林の持ち主にわたしはそのわけをたずねてみた。すると、こうである。

《いや、毎年この通りなのですよ。ええ、もう、林はすっかり鶯共の天下になってしまうのです。》

《何故なのです。》

《それはね、ついこのそばにある、それ、その壁のむこうが、みつばちの家になっているからなのですよ。》

あっけにとられてわたしは相手をみつめながら、蜜蜂飼育所と鶯が沢山いるということとの間に、いったいどんな関係があるのか一寸のみこめなかった。

《その……つまりこうなんですよ。鶯がこんなに沢山いるわけは、その……蜜蜂がたくさんいるからなんですよ。》

やっぱりわけがわからない。合点のゆかない顔つきをした。すると説明がつけくわえられた。

《蜜蜂という奴は死んだ幼虫を巣のそとへおっぽり出すんですよ。毎朝、蜂小舎のまえにはそれがちらかっているので、鶯はそこへとんで行って自分でも御馳走にし、子どもたちにも持ってかえるというわけなんです。それが大へんな好物なんですよ。》

やっと、これでどうやら疑問のいとぐちをとらえることができた。このうえもない食物がゆたかにあり、それが日ごとにあたらしくされるので、それでこそこんなに歌い手があつまっているのであった。

おのれの習性に反して鶯どもは、ここでは隣り合って住み、毎朝そのごちそうの小さな腸詰めの分けまえになるべくたっぷりあずかろうとして、小さな林のなかにこんなに集合して、蜂小舎にちかいところをしめているのであった。

（鶯と蜂）

F. ANNE. Sc

ほんとに植物というものをよく知りたいと思うなら、動物についてしらべる方がむしろ、手っとり早いと思うのだ。

植物は動物の兄弟分だ。

植物は動物のように生活し、養分をとって生きる。そして子孫も生む。

わたしはいつも考えていることだが、ほんとに植物というものをよく知りたいと思うなら、動物についてしらべる方がむしろ、手っとり早いし、動物についてしらべるには、植物の自然の生活状態を調査して、不明の点を明らかにすることができると思うのだ。たとえば、ヒドラなどその典型的なものだと思う。

この方面で、生物学的な根本問題を闡明(せんめい)してくれる人が出てほしいと思う。

（植物と動物の関係）

合歓の木の謎。このめずらしい植物の感性と動物の感性との間に、わたしたちはいかなる根本的差異をみとめるか？

ねむの木の葉は、かるくさわってもねむってしまう。いや、さわるというような機械的なショックをうけて動くだけではなく、電気にも、気温の急激な変化にも、寒冷にも、暑熱にも、さては化学上の試薬による腐食にも、ただちに感応する。いや、それは、まったく動物の神経昂奮性におよぼすあらゆる刺戟に従うのだ。温室のあたたかい空気で、いい気もちになって葉をいっぱいひろげているねむの葉は、窓を開いてそとから冷たい空気をいれると、たちまち葉を閉じてしまう。日陰に開いていて、とつぜん強い強い光線にあうと、やっぱりおのずからねむってしまう。その葉を、こうしてたたませるには、雲がしばらく日のひかりを蔽い、空気を冷かにしただけでも十分である。電気火花を放電させてもこの草はひどくめんくらうが、腐食薬剤や熱にはもっともひどく参るらしい。

太陽の光線をレンズの焦点であつめて、その小さな葉片にあてがい、あるいは、紙ぎれに火をうつして葉を一寸焼くと、焼かれた点からひろまって、数分間で全部の葉が閉じて垂れ下る。

葉に触れないようにできるだけ用心して、葉片のうえに硫酸のような腐食剤をほんの一滴垂らしても、同様な結果が得られる。

これらの実験はいずれもねむの葉の唯一点を刺戟するだけで、そのとき少し葉がたがいにふれあわないように用心しても、きわめて深い持続的な印象をあたえ、この実験をうけた草は、八時間ないし十時間の間、二度とふたたび葉をひらこうとはしない。このこころみをつづけさまに数回くりかえすと、最も強いおじぎ草でさえ、すっかり弱って、しまいには枯死してしまう。

この事実はわたしたちに動物のことを思い出させる。

動物も微弱な情緒を回復するのははやいが、するどい苦痛や悲しみののちにはしばらく意気消沈し、苦しみがいくたびもつづけてはげしく襲うと死ぬことがある。

さらに、似ているところがある。動物だと、どこの局部も苦痛を感じ、その苦痛の感じを全身に伝えることができる。すると全身がその局部と苦痛を共にし、その救助にやって来るか、あるいはすくなくとも危険からしりぞく。身体のどの部分も苦痛を共有し、どこかの一部分が傷つくと、痛覚があらゆる方向にひろがり、全体を不安にさせる。同様な各部分の連帯性と、一局部への印象を全体につたえる機能とは、いずれもねむの木や、おじぎ草に見られる。すでにのべたように、波動は一つの小葉片からつぎへ、端からもとへ、また、もとから端へも変りなくひろまり、おなじく容易に一つの草から他の草へ伝わる。エーテルやクロロフォルムなどは感覚をしびれさせて、しばらくの間停止させ、いわゆる麻酔の状態を生ずる性質がある。ねむの木の葉やおじぎ草にこころみてみよう。

鳥の場合よりもずっと長いが、一定の時の経過した後、この草の感性は鈍くされる。おじぎ草やねむの葉はガラス壺から取り出され、エーテルの蒸発気をさんざん吸いこんで、実験前と同様に葉を十分に開いているが、しばらくは無感覚になっている。小葉片をゆすっても、焦がしても、どのように好きにとりあつかっても、いっかな閉じない。どうやってみても閉じない。鳥のときとおなじく、この無感覚は一時的である。あまり長くそのガラス壺に入れておけば、鳥と同様にこの草も死んでしまうが、さもなければ、次第に知覚の力を得て、ついには軽く触れてさえふたたびその葉をたたむようになる。以上の事実からざっと考えてみるに、このめずらしい植物の感性と動物の感性との間に、わたしたちはいかなる根本的差異をみとめるか？　ただし、それは進化の段階のごく低いところにある動物のことである。たとえば、海底の岩に固着しているポリイプなどは、あたかも花が花弁を開くようにして触手をひろげ、またそれを閉じて身をもちぢめる。何らの差異もみとめられない。

動物と植物との間には絶対的境界線は無いのである。動物のあらゆる属性は、運動やまた印象に対する感性でさえ、すくなくとも漠然とした痕跡において、植物にだってみられるのだ。

（合歓の木の謎）

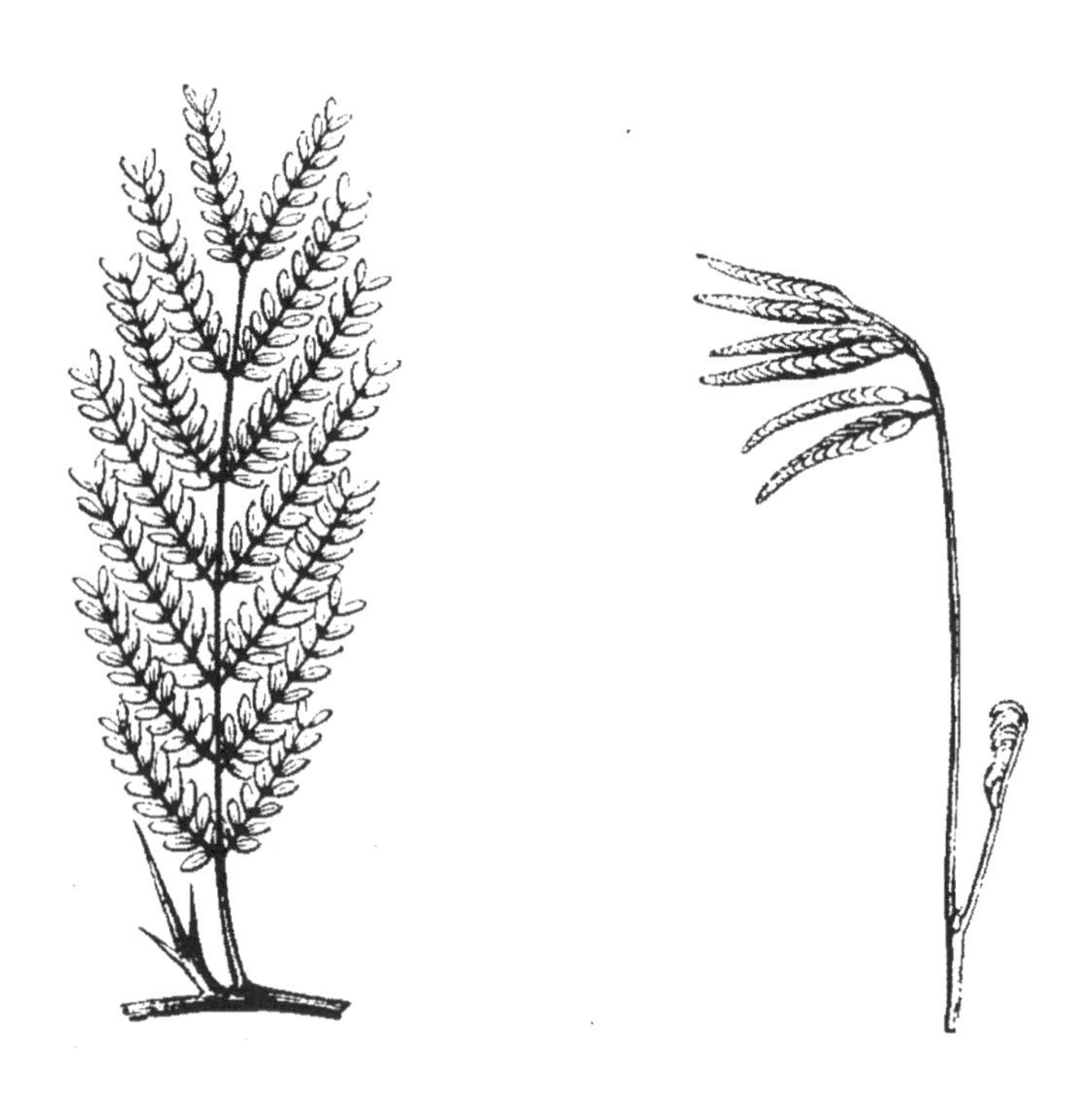

植物は人に美味なおくりものをしてくれる。植物は、その果実のゆえにこそ、今日まで人類の主要な食料であり、そして今もなおそうである。

植物は人に美味なおくりものをしてくれる。植物は、その果実のゆえにこそ、今日まで人類の主要な食料であり、そして今もなおそうである。古代の楽園は植物の果実以外に食料の源を持っていなかった。それは、すずやかな小川の流れと、われわれ人類にあんなにまで運命的なむすびつきをもつようになった林檎をふくめて、あらゆる種類の果物に富んだ心地よい園であった。一方、夙(つと)にして人間の不幸は、ある時は真実であり、またある時は、最もしばしば仮空の徳なる単純さという徳に慰めをもとめて来た。だから、植物の知識はわれわれ人間の弱みや食欲のごとくに古いものである。

（植物の知識）

われわれは衣服について、そんなに鼻を高くしているが、毒虫の唾、または愚かな羊の毛が人間の衣服を嘲笑している。

ごく少数の例外をのぞいて、動物というものは着物を着るという要求をもっていない。製産費をかけずに、彼には必要なものが自然とあたえられているから、自然の被服をまもる追加物を身につける技(わざ)を知らないのだ。鳥類にはその羽翼の心配はいらないし、獣類はその毛皮を、爬虫類はその鱗を、蝸牛(かたつむり)はその殻を、甲虫はそのきっちりと身についた上衣の心配をしなくてもいいのだ。苛酷な外気に対して各々自分で防禦を目的とするなんの工夫も持っていないのである。獣毛や、鱗や、真珠母、その他獣類の衣服の布切れは、すべてみな自然行程のたくみで、勝手にできあがるものである。

この方面では、人間は裸身の上、峻厳な気候は、かれ自身の皮膚をまもる人工皮を止むを得ず作らしめる。この不幸から、われわれのもっとも美しい産業の一つが生じたのである。人間は衣服の発明家であった。かれは寒さにふるえて、はじめて熊の皮を剥(は)ぎ、獣の剝皮(はくひ)で両肩を被(おお)ったのである。それから長い時を経て、人工的な織物がおいおい、この原始的な外套にかわったのである。しかし、温暖な空の下では、清浄な被服たる因習的な無花果(いちじく)の樹の葉で長い間ことたりていた。

未開地においては、現代でもなおその無花果の葉は、鼻軟骨をつらぬいた魚の骨、髪飾りの赤い羽、腰の周囲の細網の補充装飾と一しょにことたりている。われわれは、蠅をふせぐ古バタの塗料を忘れない。そして、それがタシネエルに対する虫除け膏の発明にわれわれをみちびくのである。

×

産業の仲介なしで、外気の害からまもられている動物のまっさきに来るのは、毛を着ている連中だ。かれらは毛をおとす骨折りもせずして、羊毛とか毛皮を着ている。これらの外套の中には、われわれのもっとも軟(やわら)かなびろうどよりもはるかにやわらかな立派なのがある。職業の進歩にかかわらず、人間はそのことではとても嫉妬深い。今日でも岩下のかくれがにすんでいた時代と同様に、冬季には毛皮を重んずる。四季を通じて、装飾的附属品としてそれを大切にする。かれはある、あわれな剥皮の断片をぬいつけるのを誇(ほこり)としている。国王たちや裁判長のアルミン皮、大学教授が式の日に左肩にかざる白兎の尾などは穴居時代を思わせる。

かつまた、より複雑な形で獣類は依然われわれに着物をきせている。われわれのらしゃは、組み合わされた毛である。常に人間はもっといいものを発見するのぞみもなく、毛深い獣の毛で身を被っているのだ。もっとも敏活に熱を通じ、もっとも微妙に扶養される鳥類は整然と鱗状をした羽でつつまれ、体の周囲に産毛や絨毛のふんわりとした厚い空気蒲団をつくっている。また、臀部の上に化粧用の壺や、化粧油の罎や、嘴(くちばし)で一枚一枚と羽をみがき、それを水の通らないようにする脂肪質の疣(いぼ)などがある。とばねばならぬときたいへん精力を消耗するので、このさむがりやにとって、特にそれは体温の保持に他のいかなるものより適しているのである。

鱗はのろまの爬虫動物に適している。それは打撲傷をふせぐが、しかし気温の変化に対する防護としてはほとんどなんの用をもなさない。

魚類は空気よりはずっと変化のない水中にあって、一層着物を必要としない。自分で努力もせず、原動力のはげしい消費もせずに、この泳ぎ手は単なる水の圧力で均衡をたもっている。かれはほとんど変化しない気温を浴びて、極寒極暑の候を知らない。同様に、大部分の海の住者たる軟体動物は、衣服よりはずっと防禦的城砦たる殻の中に平和に暮している。結局、甲殻類はその鉱物化せる皮の鎧をつくるようにされているのだ。

これらすべてのうち、毛深いものより厚皮で被われたものにいたるまで、真の衣服、すなわち特殊の工業でつくられた衣服は存在しない。毛、羽、鱗、殼、石のような甲は、その製作機の干渉なしである。

すなわち自然産物であって、畜生の技巧でつくられたものではない。肉体から排泄されるものを着ることのできる真の製作者を見つけるには、人間からある昆虫に下って行かねばならない。

われわれは衣服について、そんなに鼻を高くしているが、毒虫の唾、または愚かな羊の毛が人間の衣服を嘲笑している。

衣服の発明者中では、先ずなにものよりも糞外套をもっているゆりはむしのすばらしさ！　かれは衣服を着る技術において、海豹の腸を削って、それで着ながしの衣服をつくるエスキモオ人よりまさっている。また、かれと同時代の洞穴の熊よりも毛深きマントをかりたわれわれの先祖トログロディト人よりもまさっている。

その時分われわれはまだ無花果の葉を着ていたのに、すでにかれはメルトン製造において原料の蒐集者と同時に、その材料の供給者として優れていたのである。

（動物と着物）

Rouyer
O.THIEBAULT

えんどうまめの不思議。原始のえんどうから、どんなに今日のわれわれは遠くへだたってしまっていることであろう！

今日では、人間は立派なえんどうをもっている。ところで、人間は、太古の時代このかた、しだいしだいと会得していった栽培法によって、さらに大きな、さらに軟かな、そしてさらにおいしい実を、えんどうにならせることが、ますますたくみになってきているのである。もともと、ごくすなおなたちで、しかもやさしくためられたこの植物は、いつも人間の言いなりしだいになり、いまでは栽培人の野心のままに、思い通りのものを供給するようになってきている。

遠い昔の、あの、ヴァロン【原注　紀元前一一六年から二七年にいたローマの雑書著作者。農業に関する著書で有名である。】や、コリュメル【原注　紀元一世紀頃のローマの作家。農業論の著作あり。】などのころの作物から、どんなに今日のわれわれは遠くへだたってしまったことであろう！

とりわけ、原始のえんどうから、どんなにわれわれは遠くへだててしまっていることであろう！

原始のえんどうといえば、最初に土地をたがやそうと思いついた人が、はじめのころは野生だったその種子を、（おそらく鋤のかわりに、穴熊の顎骨の半片を用いて、そのがっしりとした犬歯をもって耕したことだろうが）はじめて地に播（ま）いて得たものなのだ。

このえんどうの原始植物は、それではたして、野生植物の分布範囲のどこにあるのであろうか？

われわれの地方には、それらしいものは一つもない。それでは他の土地へでも行ったら見つけられるだろうか？

この点に関しては植物学も口を緘（かん）している。解答としては、せいぜいのところ、きわめて漠とした推量しかもちあわせていないのだ。

そのうえ、これと同巧異曲の無智は、われわれの食用植物の大部分にゆきわたっている。

われわれにパンをあたえてくれるあの神聖なる木本科植物、小麦はどこからきたのだろう？　誰も知っていない。それに人間が加える製法のほかは、この地方でもとめるべくもないのである。

しかし、それを異郷にもとめてもやはり見あたらない。さらに、農業の発達している東洋でさえ、どんな植物採集家もまだこの神聖なる穂が、農夫の鋤によってたがやされず、ひとりでに土地にみのっているのを見た者はない。

ライ麦や、大麦や、燕麦や、かぶらや、あかかぶ、さては甜菜（てんさい）、人参、南瓜（かぼちゃ）、それからまだ他の多くのものも、みな同様にわれわれを途方にくれさせるばかりである。そうした植物の出発点はせいぜいのところ、多くの世紀の見とおしのきかない雲のかなたに、やっと推測されるだけで、依然としてわからずにいる。

自然はそうした有難い植物を、われわれに、あたかも、今日灌木のしげみから、それがわれわれにあたえてくれる桑の実や夏枯草の実のような、食用価値のきわめてすくないどうにもならぬ野生のままであたえてくれたのである。自然はそれらをわれわれにしみったれたなまのままの材料の状態においてあたえてくれたのである。われわれのたえ間なき努力と勤勉と、日に月にすすんで行く技術とが、辛抱づよく、それらの周囲へ、滋養になる果肉を、（特に土地の耕作という銀行において、不断に利子を生んでゆくこの資本金を、）貯めこまなければならなかったのである。

×

食料の資源としての穀物と野菜類のほとんど全部は、とりもなおさず、いずれも人間のつくりだしたものである。初めの状態では、見るかげもない貧弱な資源であった。われわれは、そうしたなまのままの資源を、草本の自然の蜜から、そのまま拝借したのであるが、食料として潤沢な完成された種類は、とりもなおさずわれわれの技術のたまものである。小麦やえんどうや、その他のものがわれわれにとって必要欠くべからざるものであるとともに、これはまた、ちょうどその正反対に、われわれの栽培も、またそうしたものの保存には絶対に必要なのである。

われわれの要求によってつくりあげられた植物、すなわち、他の植物と野生の状態に入りまじればとうていそのままでみることのできない、これら有用な植物は、全然手も加えず、耕作もほどこさず、ほったらかしにして置いたなら、たとえ、その種子が数字上きわめて尨大な数にのぼるにもかかわらず、またたく間に地上から姿を消してしまうにちがいないのだ。それはちょうど、もしも羊小舎がなければあの智慧無しの羊どもが、しばらくの間にすっかり種切れになってしまうであろうというのと同じである。

×

野のさち、山のさちは、われわれの製作物である。けれども、けっしてわれわれの所有物ではないのだ。食物が集積されていれば、どんな場所へでも、かならず天の四方から消費者たちが走せつけるものだ。

食料が豊富であればあるだけ、それだけ多数の会食者が、その潤沢な饗宴へと招待も待たずにやってくる。ただ一人、人間だけが、刺戟をあたえて農産物の豊饒をきたさしめることが出来るのだから、多数の会食者が同席する盛大な宴会の計画者なのだ。一層味のすぐれた、さらに一層みのりのゆたかな食物をつくりだして、人間は、その食料品にまで、自分の意志に反してでも、幾千幾万の飢えたる者を呼び寄せるのだ。

そうした飢餓連中の歯に対しては、人間の弾圧がどんなにはげしく応戦しても無駄である。人間の産物が多くなればなるほど、一層多くの課税が強制されるのだ。盛大な農業、すばらしい収穫、それは消費の点で、われわれの敵手である昆虫に恩恵をあたえるのだ。

これが永久の法則である。えこひいきのない自然は、その偉大な乳房をすべての嬰児たちにあたえるのだ。他人の財産の侵略者にも、その財産の産出者にも、わけへだてなく、わかちあたえるのだ。

自然は、土を耕し、種を播き、とりいれをして、労苦に精根をからすわれわれのために、小麦を成熟させ、また、自然は、田畠の労働にくわわらぬくせに、われわれの納屋にやってきて腰をおちつけ、鋭い嘴（くちばし）でせっかくつみこんだ麦を一粒一粒、その糠までかじってしまうあの小さなむぎぞうむしのためにも、それを成熟させるのである。土を鋤き、草をむしり、水をそそいで、くたくたになるまで疲れはて、日中のうんきにうだってしまうわれわれのために、自然はえんどうの莢をふくらませてくれると同時に、それをばまた、少しも畑仕事にあずからないくせに、時期さえ来ればおさきに失敬してしまう、あのまめぞうむしのためにもふくらませるのだ。

（なまの資源）

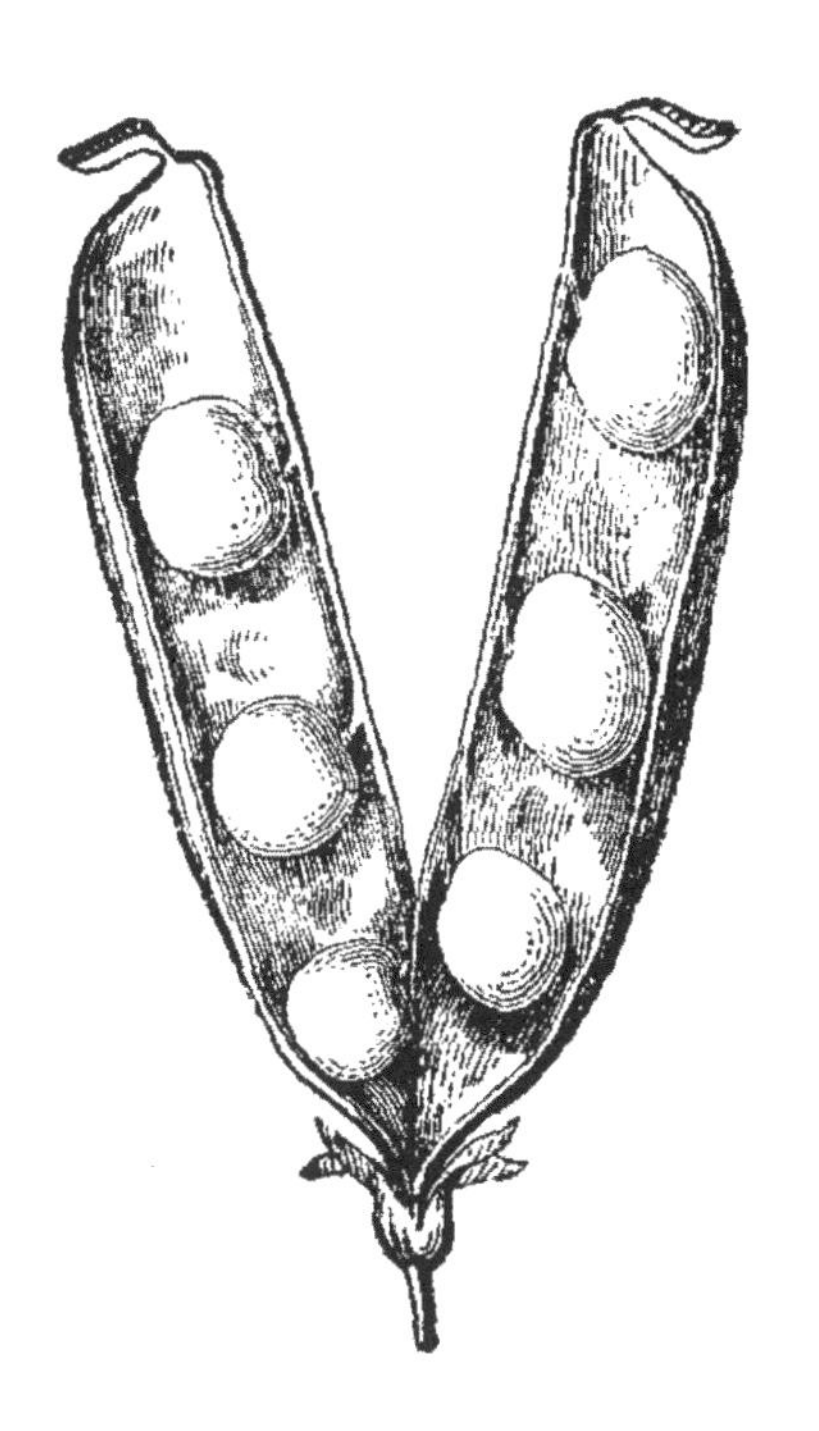

大慈大悲(だいじだいひ)の神様が、もし、地上に下された豆があるとすれば、それは、うたがいもなくいんげんまめである。

大慈大悲(だいじだいひ)の神様が、もし、地上に下された豆があるとすれば、それは、うたがいもなくいんげんまめである。この豆には、そっくりそのままその資格がそなわっているのだ。まあ一口食べてごらんなさい。どこからどこまで、歯あたりはやわらかだし、味はよし、大きさにこくがあるし、値も頃合いだし、第一栄養このうえなしというわけだ。

これは植物性の獣肉ともいうべきもので、しかも獣肉とちがっていささかのむごたらしさもなく、血にもそまっていないが、あの肉屋の俎の上で小間切れにされる痛ましい品物に匹敵している。こうしたねうちをせいいっぱいいいあらわすために、プロヴァンス地方の言葉では、それを《Gounflo-gus(グンフロ・グス)》（貧乏人を肥らせるものという意味）と呼んでいる。たしかに貧乏人の喜びである。大へんに値段の安い、貴重な豆よ！　そうだ、おまえは、かれらを、労働者たちを肥らせてくれる。でたらめな人生の抽籤場で、いい当たり札をひきあてそこなった才能のある善良な人をおまえは肥らせるのだ。ああ、思えば、何という優しい豆だろう。三つたらしばかりの油と、そしてほんのわずかな酢とで、おまえは子供のころのわたしのごちそうだった。いまでもやっぱり、この、人生の晩年において、貧しいわたしのお椀の中へ、おまえは歓迎されるのだ。どうか、いつまでも、いつまでも、最後の日まで、かわりない仲よしの友達でいてくれ。

しかし、今日は、別にわたしの計画によっておまえの価値を変えようなどと考えてはいない。わたしは、ものずきな人間として、ただおまえに質問を発したいのだ。

《おまえの出てきた国はどこなのだね？》

《そらまめやえんどうと一緒に、おまえは中央アジアからやって来たのかね？》

《いいいいいいいい、

《文化の最初の開拓者が、かれらの庭からわれわれのところへもってきた、いろいろな種子の仲間に、やはりおまえもまじっていたのかね？》

《おまえは古代から人に知られていたのかね？》

すると、公平無私な証人で、しかも何から何までよくわきまえている昆虫が、かわりにこう答えてくれる。

《いいえ、いいえ、わたしたちの地方では、古代の人たちはいんげんまめを知らなかったのです。この貴重な豆は、そらまめとおんなじ道をたどってわれわれのところへ来たのではありません。これは外国産のものなのですから、ずっと時代が新しくなって、やっと旧大陸へと輸入されてきたものなのです。》

　昆虫の語ってくれたところには、もちろんはなはだ傾聴に値するだけのわけあいがあるとはいえ、しかしなお、もっとくわしく調べてみる必要がある。ではこれから一つ、事実しらべにとりかかってみよう。ずうっと以前から、とりわけ、ことすこしでも農業に関することなら、何事にまれ、注意をおこたらずに来たわたしも、このいんげんまめが、昆虫類のどんな奪掠者にでも、いや、ことに、あの、豆類の種子が何よりも大好物のまめぞうむしにさえも、食い荒されたのをまだ一度も見たことがないのだ。わたしはこの点に関して、わたしの附近のお百姓さんたちにといただしてみた。

かれらは自分たちの農作物に関することでなら、非常に注意のよくゆきとどいたやからなのだ。

かれらの畑のものに手をふれたり、よくないふるまいをしたりするものがあれば、かれらは、いっかなゆるしはせぬし、見のがしっこないのだ。それから、一家の主婦だってやはり同じことで、鍋に入れるべきいんげんまめを一つぶずつ皿の中でしらべながら、その細心な指のさきで、めったに悪ものども（まめぞうむしなどのような）を見のがすようなことはない。ところで、そうしたひとたちが、いずれもことごとく、わたしの質問にたいして、ちいさな虫けらどもについてのわたしの知識を見くびったらしい微笑をうかべながら、異口同音に答えてくれたことばは、次のようなものであった。

《いんげんまめには、けっして虫なんかつかないということをおぼえておきなさいまし。こいつは旦那、あらたかな豆なんでね。こくぞうむしだって手を引いてますからね。えんどうにも、そらまめにも、それぞれみんな相当の虫がいますけれどもね、この『グンフロ・グス』にだけはつきませんよ。こいつまでがあのぞうむしに頭からかじられた日にゃ、こちとらみたいな貧乏人には食べるものがなくなってしまいますよ。》
　そうだ、たしかにぞうむし類はこの豆に寄りつこうともしない。それにひきかえ、他の豆類がどんなにがつがつと食い荒されているのかを考えあわしてみれば、まことに奇妙な無視のしかたである。やせっこけたそらまめまでが、のこらず熱心にかじられているのに、大きさといい、味といい、こんなにみごとないんげんまめには口をつけるものがないのだ。これはどう考えて解（げ）せないことといわなければなるまい。おいしいものから、まずいものへ、まずいものからおいしいものへと、平気の平三（へいざ）で片っぱしから口をつけてゆくあのまめぞうむしが、一体どんな理由から、このすばらしい豆をかえりみないのであろうか？
　かれは、なたまめからえんどうへうつり、えんどうからそらまめへゆき、やはずえんどうへゆく……そしてどんなに貧弱な粒にも、大きなお菓子にも同様満足しながら、それでいて、いんげんまめのさそいには眼もくれようとしない。何故？　何

故？　何故だろうか？

思うにこの豆が、かれには知られてないかららしい。ほかの豆なら、土着のだって東洋からもたらされて帰化したものだって、ともにもう幾世紀以来、ぞうむしどもには親しまれているのである。毎年、かれはそれがおいしいものなることを経験し、そして次第に過去の教訓に信頼して、いままでの習慣にもとづいたやりかたで、あたらしいものに手をつけていったのである。ところが、いんげんまめとなると、そうはいかない。いまのところ、この虫がまだその価値を知らないほどの新来者なるこの豆が、かれにはただやたらに何となくうす気味わるく思われるのである。昆虫があきらかにそれを実証しているように、われわれの地方では、いんげんまめは紀元のまだ新しいものである。

（後略）

（いんげんまめのはなし）抄録

フランス全土に馬鈴薯を普及させたパルマンチェーの奇妙な企てのこと。

馬鈴薯（ばれいしょ）［じゃがいも］の用途がフランスに紹介されたのは十八世紀のおわり頃で、その歴史には面白い物語がある。貴い根気と、努力を象徴している点で美しいものだ。

そもそも馬鈴薯は南米の原産で、コロンビヤ、チリ、ペルーなどの高原から来たのだ。はじめてヨオロッパにあらわれたのが一五六五年。その頃はサンタ・フェあたりからもってきた球根で試作されたものだが、それから一世紀半ばかりおくれてイギリスの島々で大変繁殖した。

フランスに紹介されたのはなかなかおそかった。めずらしくて高価な馬鈴薯の最初の一皿の料理がルイ十三世王の食卓にのぼったのは、じつに一六一六年だった。王の食物――だが、今では最も貧しい人たちにも心のままだ。アメリカ産の球根は、ただ単に珍らしいものとしてフランスでは打ちすごされ、長い間、有害物という名を負わされ、百姓にもいやがられていた。それを前の世紀になって、ある人が古くからの迷信を一掃して、この大切な食用植物の耕作を一般に弘めた。パルマンチェーというのがその人の名である。この人はその意見をルイ十六世に建言した。馬鈴薯は粉屋にも焼屋にも世話にならぬ便利なパンだ。土の中からぬいて来れば、熱湯か熱灰かで、小麦のそれにも匹敵する澱粉質の食物となる。他の植物の耕作にはとてもむかないほどの痩地でも、馬鈴薯には十分である。この馬鈴薯をもってすれば、今フランスが苦しんでいるおそろしい食糧難も決しておそるるには及ばぬ。——と、パルマンチェーは云った。ルイ十六世は非常に熱心に同意された。しかし他の者にまで同意させるのはむずかしかった。

そこで見むきもされない球根栽培の流行にあずからせようとして、ある公式祭日に王は御手に馬鈴薯の大きな花束をたずさえて出御された。青い葉蔭に引きたった紫模様の白い美しい花、人人は好奇の目をみはった。それが宮中や市中で評判になった。花屋はこれに似せた花束をつくり、王を招待するために、諸侯は球根を百姓家に送って培わせた。王の宣伝のおかげで、馬鈴薯の花は流行した。が、肝腎の根の方（薯の方）は肥料の中に捨てられた。中には、王のお咎めをおそれて、いくらか百姓に生長させられたものもないではなかったが、片隅に忘れられてかえりみもされなかったのだ。そんな始末だから、王の御機嫌取りのために馬鈴薯に心をくばる貴族たちは別として、直接そのことにあたる百姓たちに納得させなければならなかった。馬鈴薯と見れば家畜の飼料にさえ用いずに投げ出すほどの嫌悪を一掃し、評判のわるい馬鈴薯が決して毒などのあるものではなく、優良な食物であるという実験を教えなければならなかった。それを最も良く知るものはパルマンチェーだったのだ。さっそくかれは、その事業を開始した。

ところが、はじめから成功するというわけにはいかなかった。苦しまなければならなかったのだ。まずパリイの近郊で、馬鈴薯を植えつける広大な土地を買い込んだ。最初の年、その収穫物はごく安価で売られた。いくらかの人がそれを買ったのだ。第二年目には、収穫の馬鈴薯は無代でくばられたが、誰も欲しがるものはなかった。のみならず田舎では、豚の餌にも百姓たち一人だって欲しがりもしないやくざな球根をつくるかれの意地強さを嘲(あざけ)り笑った。けれども、パルマンチェーはけっして失望しなかった。そして一つの奇計を思いついた。

それはかれの書物でも、意見でも、実験でも、はたまた無代提供でも得ることのできなかったものを、禁制の果物で釣り込もうというのだ。先ず広大な土地に馬鈴薯を植えて、それが成熟期になると、まるで高価な収穫物を保護するかのように、周囲に柵をめぐらした。

パルマンチェーは、馬鈴薯にすこしでもさわったものは厳重な法律の制裁をうけなければならぬと、近村の人々をあつめてラッパで布告して威(おど)したのである。日中は畑の周囲を厳重に警戒し、柵を越える者には厳罰が待っているとおしえた。ところで、警戒は日中だけで、夜は番人を家に引き上げさせて、耕作地に侵入するものがあろうがなかろうが、頓着しなかった。

《こんなにきびしく警戒される植物は、一体何だろうか?》あまりの防ぎ方につりこまれて、百姓が言いだした。《きっと、すばらしいものにちがいない。よし、闇の夜にこっそり忍んで取ってみよう。》

と、いうわけで、大胆な数名の畑泥棒が柵を乗りこえて、いそいで十二三個の球根をひきぬいて、おっかけてくるものがないかどうかを気をつけながら持ってにげた。幸いなことに番人は一人も来なかった。

夜間畑に警戒のないことがパッと噂となってひろめられると、いよいよ、われもわれもと、夜陰をかけての掠奪がはげしくなってきた。こうしていままで軽蔑されていた薯は袋に一杯ずつ持って逃げられた。間もなく、囲いの中にはたった一つの馬鈴薯もなくなった。そして畑の荒らされたことがパルマンチェーに報告された。

慈悲ぶかいパルマンチェーは我事成れり(わがことなれり)と泣いてよろこんだ。

被害者は盗賊どもに祝福をあたえ、感謝した。この罪もないいつわりの計略のおかげで、評価することの出来ないほどの食料の源泉がフランス全土にめぐまれた。なぜなら、一度百姓の手に入った馬鈴薯は、その値打ちを知られて、その耕作が急に伝播されて行ったからである。

(馬鈴薯のユーモア)

G.BURGUN

4

科学と数学の章

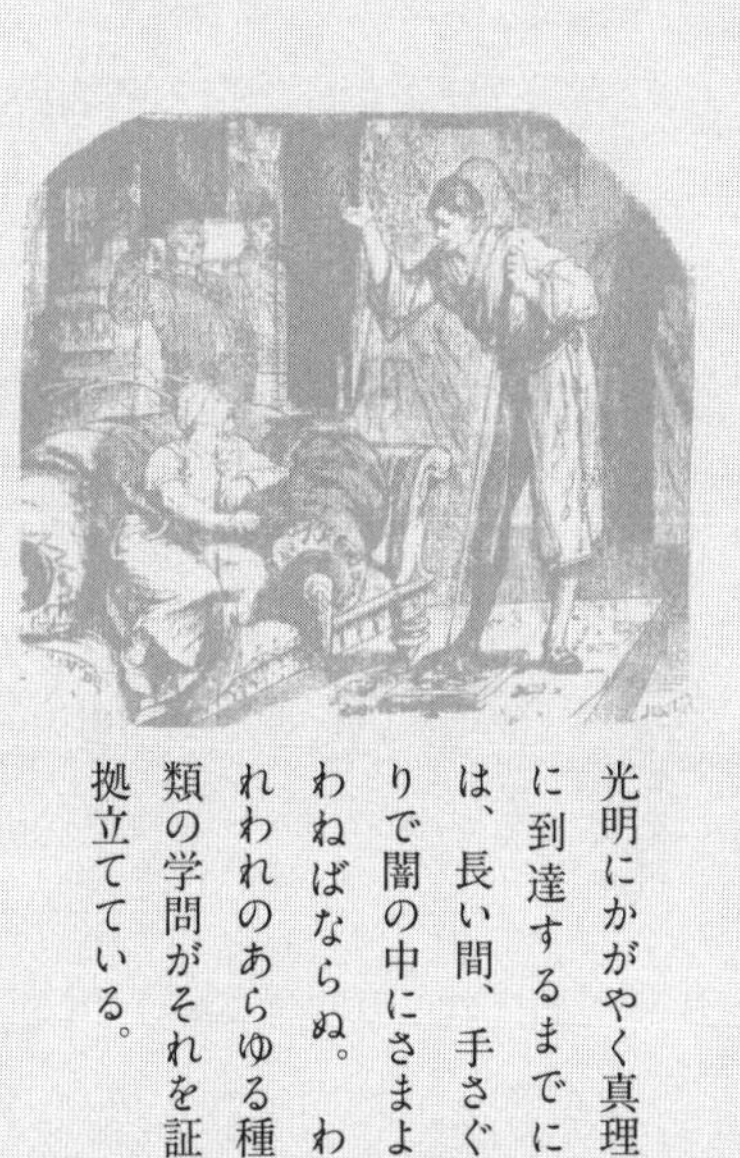

光明にかがやく真理に到達するまでには、長い間、手さぐりで闇の中にさまよわねばならぬ。われわれのあらゆる種類の学問がそれを証拠立てている。

一般的に考えた場合に、じっさい、美とは何であろうか？

美はいたるところにある。ただしそれを見出すことのできる眼があるということを、ことさらの条件としてである。この理智の眼、この形の正しさを判断する眼は、ある程度まで虫ももっているだろうか？

雄の蟇(ひき)にとって美の理想はうたがいもなく雌の蟇であるとすれば、不可抗的な性的引力のほかに、動物にとって真の美なるものがあるだろうか？　一般的に考えた場合に、じっさい、美とは何であろうか？

それは秩序である。

秩序とは？

全体における調和である。

調和とは？

それは……いや、もうやめておこう。
答えの後から問いがつづいて起って、しかも決して最後の基礎、確固不動な支点に達することはない。……もう、他の問題に移ってもいい時だ。

（美）

事実の堆積は科学ではない。それは無味乾燥な目録だ。

わたしたちの科学は、それを研究するわれわれ人間の弱さに比べれば、きわめて偉大なものである。けれども、はてしない未知の世界の面前においては極めてみじめなものだ。この科学は絶対の実在について何を知っているだろうか？ 何も知りはしない。世界はわたしたちがそれについてこしらえている観念によってのみ、わたしたちに興味があるのである。観念が消滅すればすべてがむなしくなり、混沌となり、虚無となる。事実の堆積は科学ではない。それは無味乾燥な目録だ。魂の炉で、それを温め、それに生命を与えなければならない。それに観念を加え、理性の光を加えなければならぬ。そしてそれを解釈しなければならないのである。

（科学〔わたしたちの科学〕）

私は観察し、実験し、そして事実に語ってもらう。私たちはこれら事実の物語るところを聞きたいのだ。

雪球(ゆきだま)がすこしずつころがっていって、ついに大きな球になるからといっても、その出発点は無ではあり得ない。大きな球は、どんなに小さかろうと、とにかく、一個の雪球を予想させる。ところで後天的習慣の起原において、可能性をしらべてみると、わたしはいかなる場合にも無という答を得るのだ。虫が、もしその仕事を徹底的に心得ていないならば、習得しなければならないのだったら、彼は死ぬことを免れない。雪球がなければ大きな球だってできない。

虫がなにも習得しないでも、心得ておくべきことはなんでも皆(みな)心得ているとしたら、彼は生き栄えて、子孫をのこす。けれども、この場合、それは先天的本能、すなわち、習得もせず、忘れもしない本能、いかなる時代にも不変な本能である。理論を建てることなどは私は大嫌いだ。そんなものを全然私は信用しない。危(あぶな)っかしい前提であやふやに論証することは私には不似合だ。私は観察し、実験し、そして事実に語ってもらう。

私たちはこれら事実の物語るところを聞きたいのだ。今となっては、各人が、本能は先天的能力か、後天的習慣かを決定すべきだ。

（危っかしい前提）

わたしは疑問符の記号の中に、たえず事物の方法並びに理由と対話する科学の象徴を見たい。

われわれの平生用いているいろいろな記号のうち、その意味するところの一ばんよく符合しているのは疑問符である。

下方に丸い原子がある。それは地球の塊である。その上に大きく錫杖（しゃくじょう）形に円（まる）まってそびえているのは古代のリトゥウス、即ち未知をたずねる占いの棒である。わたしはこの記号の中に、たえず事物の方法並びに理由と対話する科学の象徴を見たい。ところで、この占い棒が、よりよく見るためにどんなに高く突っ立つにせよ、しょせんこれは闇の世界の真中に位置しているのだ。

そのせまくるしい世界は、未来の測量によって、一層広い世界とかわるであろうが、暗さはやはり前とかわらない。知識の進歩によって、辛うじて一つずつ引き裂かれるこの世界の彼方、この闇の世のむこうには一体何があるのだろうか？ 疑いなき真の光明、何故に重なる何故、理由のまた理由、要するに世界という方程式の偉大なXである。われわれの、決して満足せず、決して倦むことを知らず、ひたすらものの本性をたずねたがる本能は、こうわれわれに断言する。『動物界において誤ることのないこの本能は、精神の世界においてもまた同様なのだ。』と。

（疑問符のこと）

観察する者は何物をもゆるがせにしてはならない。もっとも些細な事実から何がでてくるかは誰にもわかったものではないからだ。

自然界のどんなにささやかな問題でも、たとえそれが、思いようによっては子どもらしい問題に見えるものでも、決して馬鹿にしてはいけない。

科学は多くの場合、子どもらしい事柄から生まれるのだ。

琥珀(こはく)の一片を袖口でこすり、ついでその琥珀が小さな藁屑(わらくず)を引きつけることを最初に知った者は、今日の電気の驚異など、もちろん夢にも想像しなかっただろう。

子どものようにかれはうれしがっていただけだろう。

あらゆる方法によってくりかえされ、探求されて、その子どもらしい遊戯は世界の一つの大きな勢力となったのだ。

観察する者は何物をもゆるがせにしてはならない。

もっとも些細な事実から何がでてくるかは誰にもわかったものではないからだ。

（子どもらしい事実）

子どもたちに自然科学の正しい知識を植えつけることには重大な必要性がある。

子供というものは非常にすぐれた保守家である。

一度子供の記憶の中に刻み込まれると、どんな慣例でも、どんな伝説でも、不滅なものにされてしまう。

途方もないでたらめは、子供の種のつきない限り、口から口へと伝えられて、保存されるであろう。

物ごとが有名になるのは、何よりも語りつたえのおかげであり、作り話というものは人間の場合にも動物の場合にも、本当の歴史の中へ侵入している。

とりわけ、昆虫というものは、何かの点でわたしたちの注意をひく場合、たちまち、すぐに民間の作り話にされている。

そしてこういう作り話では、その話が真実の話であるかどうかということは、てんで問題にされないのだからおそろしい。
子どもたちに自然科学の正しい知識を植えつけることの重大な必要性はその辺にもある。

（保守家）

ああ！　太陽の光の朝食を食べるような楽しい世界は来ないものか！

われわれは考える。

生命はないものの、機械は物質以上のものではあるまいか？　人間はその魂の一部を機械の中に注ぎ込んだからだ。ところが、鉄の動物がその食物たる石炭を消費するとき、じっさいは、太陽のエネルギイの蓄積されている巨木のごとき歯朶類の葉を食べているのである。肉と骨とでできた生きた動物もこれと変りはない。かれらがたがいに互を食べ合うにしても、植物から貢物を徴収するにしても、かれらが生きてゆけるのは、つねに太陽の熱の刺戟によるもので、この熱は草、果実、種子およびこれを食べて生きているものの中にたくわえられているのである。宇宙の魂である太陽は、エネルギイ以外のものを見出せないとしたら、どうして太陽で身をやしなえないわけがあろうか？

大胆な革命的化学は、栄養物の調合をわれわれに約束する。農場がなくなっても、次には工場ができるであろう。物理学もまたこれに加わらないわけはない。物理学は、造形要素の準備はレトルトにまかせておいて、エネルギイの素になる栄養物の研究に限られるであろう。エネルギイの素となる栄養素は物理学的な表現をもちいれば、もう物質ではなくなる。巧妙な機械の助けを借りて、物理学はわれわれに運動によって消費される一日分の太陽のエネルギイを注ぎこんでくれるだろう。胃袋や、附属物などの苦しそうな助けをかりる必要のない、こうした機械は、どこで組み立てられることであろう?

ああ! 太陽の光の朝食を食べるような楽しい世界は来ないものか!

(光の朝食を!)

その国民がアラビアの沙漠をさまよい歩いたときに、感染症が拡がらぬよう、モーゼは布告を定めていた。

科学がわたしたちに断言するところによると、人類のもっとも恐るべき災厄は、植物とすぐ境界を接し黴（かび）と隣り合せをしている最小有機体微生物を媒介するものである。伝染病の流行期には、何億となく数字で表せない程の恐ろしい病菌が、排泄物の中で急速に繁殖する。かれらは生命のもっとも重要な栄養であるところの空気と水とを汚し、わたしたちの下着や、上着や、食物の上に拡がり、つぎつぎに伝染を拡げてゆく。

この病菌に汚されたものはすべて火で焼くか、腐食剤で消毒するか、地の中へ埋めてしまわなければならない。用心しようと思えば、汚物を地上に捨てておかないようにさえしなければならぬ。この汚物は無害だろうか？　それとも危険なものだろうか？

疑わしい場合にはそれを失くしてしまうに越したことはない。こういう場合に十分警戒することが必要であるということを、細菌学がわたしたちに説明してくれるよりも、ずっと以前に古代の学者はこのことを理解していたように思われる。伝染病の危険がわたしたちよりずっと多かった本邦の国民は、このような事柄について正式な法律を設けていた。

モーゼは、このことについてはあきらかにエジプトの科学の影響を受けていたらしいが、かれはその国民がアラビアの沙漠をさまよい歩いたときに、どうしなければならぬかということをちゃんと定めていた。

《汝、陣営の外に一箇の処を設けおき、便するときはそこに往くべし。また器具の中に小鍬を具えおき、外に出て便する時は、これをもて土を掘り、身をかえしてその汝より出たるものを蓋うべし》(申命記二三の一二―一三)

これは簡単ではあるが、非常に興味ある法令である。

もし、回教徒［かつて、イスラム教徒を指していった。現在は用いない。］がカアバへの大巡礼のときに、このような注意と、その他これに類する若干の注意とをしていたなら、メッカは毎年コレラの中心にならずにすみ、ヨーロッパはこの厄病を防ぐために、紅海の沿岸を警護する必要もなかったであろうとおもわれる。

（細菌）

世の中に胃腑（いのふ）が存する限り、その胃腑を満たすに足りるものが必要であろう。

腸が世界を支配する。

人間の最も重大な事件の奥底から、食物の問題がつねに横柄な頭をぬっともちあげる。

世の中に胃腑（いのふ）が存する限り、（早急にはなくなりそうにもないけれども）その胃腑を満たすに足りるものが必要であろう。そして強者は、弱者の悲惨な境遇をふみ台として生きるであろう。生は死のみがよく充たし得る深い穴である。

それゆえにこそ、際限なき殺戮がおこなわれ、人やおさむしやその他が、死者の肉を食うのである。

（腸が世界を支配する）

おおぐもは、この無限旋回の法則にのっとって網をつくる。蜘蛛は螺旋の法則を深く究めているといえるだろう。

幾何学は非常に頭のやしないになるものだのに、あまり閑却されている。わたしはいま、つねに昆虫に関して知らん顔の幾何学者などを相手にものをいっているのではない。また、数学の定理に無関心な、採集だけをこととするような昆虫学者に語ろうとするものでもない。わたしは昆虫のあたえる教訓にたいして、趣味をもつことのできるすべての識者のために書こうとしているのだ。

蜘蛛網の扇形について観察して見ましょう。まず、おおぐもがつくった見ごとな網をしらべてごらんなさい。われわれは、今、この網をかたちづくっている各扇形において、回線の一部をなすあまたの横糸がたがいに平行していて、中心に近づくにしたがって、次第におたがいの間隔が接近して来ることに気づくであろう。横糸は、それを限る二本の放射線と、一方において鈍角、一方において鋭角をなすが、その角度は、同一扇形内では横糸が平行しているために常に一定である。なおその上、別の扇形と比べても、同じ角は、鈍角でも鋭角でも、眼だけで判断できるかぎりでは、どう見てもその値は変らない。だから、この細索建築の全体は、不変の値を持つ角をなして、放射線を斜に切る、一連の横糸でできている。

この性質から、これらが等角匝線（そうせん）［等角のうずまき線］をなしていることがわかる。幾何学者は、極点と呼ばれる中心から放射されるすべての直線、もしくは動径を一定値の角をもって斜に切る曲線をこのような名前で呼んでいる。ゆえに、おおぐもの歩いたあとは、等角匝線に描かれた多角線である。若（も）し放射線の量が無限に多く、したがって直線の部分が無限にみじかくなって、多角線を曲線に変えてしまえば、この等角匝線と一致するであろう。何故に、この配線があれほど学問上の考察をおこなわせたかは興味あることである。が、その証明は高等幾何学の諸論文に求めていただきたい。

等角匝線は、つねに中心に近づきながら、決して中心までは達せず、その周囲に無限の回線を描く。匝線はこの中心点に一周ごとに近づくけれども、どこまで行っても中心点に達することはできない。もちろんこの特性は、われわれの感覚の領域に属するものではない。もっとも優秀な精密な機械のたすけをかりても、視覚はその際限のない回線のあとをたどることはできないであろう。そして間もなく眼に見えない世界の、分割のあとをたどることはやめてしまうであろう。それは頭で考えたのでは、はてしのない旋回である。ただわれわれの網膜より一層鋭敏な、訓練された理性だけが、視覚ではわからないものを明確に見ることができるのである。

おおぐもは、できるかぎりこの無限旋回の法則にのっとって網をつくる。螺旋の回転は、中心点に近づくにしたがってたがいに接近してくる。中心からある距離に達すると急に旋回が止む。しかしこのとき、回線は、中心区域に壊れずにのこっている補助螺旋につながるのである。そしてこの補助螺旋が漸次回線の間隔をつめて、ほとんど眼に見分けられないまでに中心にむかって進行しつづけるのを見たら、ちょっとおどろかずにはいられない。

もちろんこれは数学的に正確なものではないが、それに非常に近いものであることは明らかである。

おおぐもはわれわれの器械と同じく不完全な彼の製図器械がゆるすかぎり、中心点にだんだん近づきながら回るのである。

蜘蛛は螺旋の法則を深く究めているといえるだろう。


（くもあみの幾何学）

0の発見が計算術にいかなる革命をもたらしたか。われわれはそこにこそ思いを致さなければならないのである。

光明にかがやく真理に到達するまでには、長い間、手さぐりで闇の中にさまよわねばならぬ。われわれのあらゆる種類の学問がそれを証拠立てている。数学でさえも然りだ。

こころみに、ローマ数字で書かれた多くの数で加算をやってみたまえ。

諸君は、0の発見が計算術にいかなる革命をもたらしたかをみとめるであろう。それはつねに実際においては、ごくつまらないコロンブスの卵にすぎないけれども、われわれはそこにこそ思いを致さなければならないのである。

（零の発見）

ベルヌイとアルキメデス、二人の数学者はその発見を幾何図形として、墓碑銘に刻ませた。

幾何学に、螺旋の法則や、匝線(そうせん)の定理を寄与したジャック・ベルヌイは、その墓碑銘に、かれの光栄を示すしるしとして、母匝線と、その糸を解いて出来た、まったく等しい子匝線とを刻ませた。

墓碑銘にはこう書いてある。

—Eadem mutata resurgo—

(われは、われにひとしきものとなりて、再生す)

墓の彼方の大問題にむかって、これ以上の素晴らしい首途(かどで)をする人は、幾何学界に容易にもとめ得られないであろう。

われわれは同じように有名なもう一つの幾何学的墓碑銘を知っている。

シセロは、シシリイ島の出納官吏だったとき、われわれをうっとりとさせ、何もかも忘れさせる木苺や、生えしげった雑草の中に、アルキメデスの墓を探していたが、廃墟のただ中に、石に刻まれた幾何図形によって、それと見分けることができた。

図形は球に外接した円壔（えんとう）［円柱］であった。事実、アルキメデスは初めて、円周の直径に対する比の近似値を知った人で、これから円周と円の面積、球の表面積と容積との関係を引き出したのである。かれは、球の表面積と、容積とは、外接円壔の表面積と容積との三分の二であることを証明したのである。このシラクサの学者は、壮麗な墓碑銘を蔑視して、墓碑銘のかわりにただ自分の定理を刻んで誇りとしたのである。

幾何学図形はアルファベットでつづられているように、はっきりと人物の名を語っていたのである。

（幾何学者の墓）

むかしインドで、将棋を発明した坊さんが王様に所望した褒美の話。

むかし印度に一人の王様があって、大へんに退屈していた。が、王様のこの退屈をまぎらすために、一人の坊さんが将棋を発明した。

そのやり方というのは、二人の指し手が盤の上に白と黒の駒をならべるのだ。駒には、歩兵、道化者、騎兵、塔、女王、王といろいろあって、みんなそれぞれにちがった値打ちをもっているのだ。

さて、戦争がはじまると、どの戦争でも同じように、普通の兵卒である歩兵が最初の戦いをはじめる。が、王様はその位が位だから、遠くからかれらの全滅するのを冷かにながめているだけで、その混雑の中にまじらない。

つぎに騎兵が突貫する。サーベルをふりまわして、ふれるものを薙ぎたおしてすすんでゆく。道化者も、それ相当の策略をめぐらして勇敢に戦うし、移動塔は右に左に移動して軍の両翼を掩護する。かくて戦は決した。

黒軍側は女王が捕虜になり、王はその塔を二つともうしない、一組ずつ残った騎兵と道化者が王を守ったが、それもついに力つきて王は敵の包囲するところとなって降参した。ほんとうの戦いをおもわせるような、この巧妙なあそびは大へんに退屈している王様の心をまぎらせたので、王様は非常によろこんで、その坊さんに褒美として何でも望むものをやろうといわれた。

《尊い王様よ。》坊さんはいったのだ。

《わたしのような、貧乏坊主の望みは、じつにわずかなのでございます。この将棋盤の最初の目に一粒の麦を、二つ目に二粒の麦を、三つ目に四粒を、四つ目に八粒をと、二倍ずつにしていただいて、最後の六十四目になるまで、粒を倍増しにしていっただけの、すべての粒の数をいただきとうございます。わたしはそれでもう満足でございます。わたしの飼っております青鳩どもの餌も、それで四五日は十分だろうと存じます。

《この男、よっぽどどうかしているな。》と、王様は心の中で独り言をいった。

《今かれが望んだら、どんな富でも得られるのに、わずか幾握り位の麦を望むなんて……》そこで、かれは大臣の方をむいて、

《金千枚ずつを入れた袋を十と、小麦を一袋この僧につかわせ、それなら、かれが望んだ麦の百倍にもなるだろう。》

するとと、坊さんはあわただしくそれをさえぎって、

《お願いでございます。王様、おそれながら金貨の袋は御辞退申し上げます。わたしの青い鳩には無用のものでございますから、どうかわたしのお願いしただけの麦をお与え下さいまし。》といった。

《よし、それなら一袋でなく、百袋をとらせよう。》

《おそれながら、それでは十分でございません。》

《では千袋か。》

《いいえ、まだ足りません。わたしは嘘を申し上げることをおそれておりますが、それでは、将棋の目にそれぞれの数は行きわたりません。》

この坊さんの言葉を聞いていた宮臣たちは、千袋に満たされた麦の数が、一粒を

六十四度だけ倍増しにした麦の数に足りないという坊さんの要求を聞いておどろきながら、みなひそひそ語りあっていた。が、ついに王様もたまりかねて、学者たちを会議に召集して、ただちに坊さんの要求する麦粒の数を計算することを命令した。それで、坊さんは髯（ひげ）だらけの顔にずるい笑いを浮べて、謙遜らしく片隅に引っこんで、計算の結果のあきらかになるのを待っていた。

ところで、計算者の筆のさきにあらわれる数字の数はだんだんに昇って行くのだった。じつに無限に近いほど昇って行ったが、やがてようやくそれがおわると学者の頭（かしら）が立ちあがって、

《陛下、計算はようやくおわりました。が、この僧の要求をみたしますために、陛下の穀倉にありますすべての麦でも足りません。いや、この市中（まちじゅう）、この国中、この世界中の麦をあつめましてもまだ十分ではございません。かれが望むだけの麦の量をもってしましたならば、この世界中を、海も陸も、わたしの指の長さぐらいに埋めつくすことができるのでございます。》

王様はくやしそうに顎を噛んだ。しかし、かれは約束しただけの麦の数をもって

いなかったから、やむを得ず、この将棋の発明者を総理大臣に任命した。狡猾な坊主の思う壺にはめられたのだ。

これは一つの比喩だが、田園を蚜虫（あぶらむし）の繁殖率の尨大（ぼうだい）なことと速（すみや）かなことが、そっくり、これにあてはまるのである。

田園を守る人たちに、この寓話をおくろうと思う。

（印度の王様と坊さんの話）

《代数は天文学の中にあり、天文学は詩と相接している。代数学はまた音楽の中にあり、音楽は詩と相接している。》

《光と影》という本の序文に、我が大抒情詩人、ヴィクトール・ユーゴーは、《芸術の中にも科学におけるがごとく、数というものがある。代数は天文学の中にあり、天文学は詩と相接している。代数学はまた音楽の中にあり、音楽は詩と相接している。》といっている。

これは詩人の誇張であろうか？ 決してそうではない。ヴィクトール・ユーゴーは真実を言っているのだ。

秩序の詩とも言うべき代数学は、素晴らしい飛躍をもっている。

わたしは代数の公式、すなわち詩節はすてきなものだと思う。他人がこれとちがった意見をもっていようと一向さしつかえはないが……。

（科学と芸術）

科学は未知の深淵を照らすカンテラの光のようなものだ。

科学はカンテラの光のようなものだ。

それは、事物の尽きる時のない嵌木細工を、一つ一つ填木によって探求してゆく。灯の心にはあまりにもしばしば油が足りなくなる。硝子は曇っている。それでもかまわない。茫大な未知の一点を最初に見つけて、それを他人に示すのは決して無駄な仕事ではない。

どんなに遠くへわたしたちの光線を投げても、照らしだされる範囲は、いずれの方向においても、暗黒の墻壁にぶつかってしまう。

未知の深淵にとりかこまれているわたしたちは、既知の貧弱な領域を、一尺でも大きくすることがゆるされれば、それを満足に思う。知りたいという欲望になやまされているわたしたち探索者は、そこでわたしたちのカンテラを一つの点から他の点へとうつす。
調べつくされた小部分をもって、人々はきっと一片の画面を組み立てることができるであろう。

（科学〔カンテラの光〕）

5

懐旧の章

わたしは人生のたそがれどきの、とある一日、むかしの里、なつかしいカルパントラスの村をたずねてみた。カルパントラス……このぎごちないゴオル名は、おろか者をほほ笑ませ、賢き者に物を思わせる。

寄る年波で、すっかり弱くなったわたしを、息子ポオルが手助けしてくれる。

ああ、寄る年波で、すっかり弱くなったわたしの哀れな関節よ！

地下にすばらしい問題が、ひそんでいることを知りながら、それを掘りだすことができないとは！　そのむかし、いしくばちの好物なる海綿状の勾配を掘りくずしたころの、激しい熱意は依然としてつづいている。探求を愛する心はおとろえたのではない。

が、体力がもはやつづかぬ。さいわいにもわたしには、手助けをしてくれるものがある。

それは息子ポオルで、かれはわたしに力強い拳と、しなやかな腰を貸してくれる。わたしは頭で、かれは腕である。ほかの子どもたちも、たいていいつも何かと手つだってくれる。かれらの母もその仲間に入るのだが、みんなに負けず熱心である。

たとえば、溝が深くなって、鋤で発掘されるこまかな参考材料を遠くから監視しなければならないようなときには、どんなに多くても眼の多すぎるということはない。一人がうっかり見そこなったものを、他の一人がちゃんと見とどけているようなこともある。

有名な博物学者ユーベルは失明してからは、眼のたしかな、献身的な召使を仲介として、蜂を研究していた。考えてみれば、わたしはこのスイスの偉大な博物学者よりずっと幸福だし、はるかに有利なのだ。

わたしの眼はかなり疲れているけれども、まだまだたしかなものだ。それに、家の者がこぞって鋭い眼で助けてくれる。

わたしが依然として研究をつづけることのできる状態にあるというのも、ひとえに子どもたちのおかげである。

神の恩寵のかれらにあたえられんことを！

（つづかぬ体力の悲しみ）

一家で可愛がっていた仔猫の死によって、幼い子どもの頭に死の概念が入りこんだ。

（前略）

生涯のみじかさを予見し、最後の眠りの墓穴を憂わしげに思いみる者は、まことにわれわればかりなのだ。しかも、この廃滅不可避の認知には、一種の精神的成熟が必要なので、その結果、非常に緩漫な開花が見られる。わたしはそれについて今週ある悲痛な一例を見た。それは、うちでかわいがっていた、そして一家中の喜びと慰みの中心だった可愛い猫が、病み衰えて二日ばかりくるしんだ後、夜のうちに死んでしまった。朝になって、子どもたちは籠の底にこの仔猫が固くなって横たわっているのを見出した。

家中の者はほんとに泣いた。ことに四つになる女の子のアンナは、大の仲よしだったこの小さな友だちを悲しげな眼で見つめるのだった。彼女は死んだ猫を手で愛撫してやり、その名を呼び、数滴のミルクを碗に入れて、おたべ、おたべとしきりにいたわってやった。そしてこんなことを言ったりした。《ミネってば、なんだかおこってんのね。あたしのやった朝のごはんがほしくないんですって。よくねむってるわ。こんなによくねむったことなんかないのに。いつになったらおっきするのでしょうね。》死のいたましい問題を前にして、この子のあどけない気もちは私の心を黯然(あんぜん)とさせた。

わたしは、いそいでこの子を、こんないたましい眺めから引きはなして、こっそりとその死骸を埋葬させた。その後、仔猫はもう食事のときにテーブルのまわりに姿をみせなかったので、このかなしがっている子どももついに、彼女の友だちがもうふたたび目をさますことのない深い深い眠りについてしまったのだということを理解した。かくて、はじめてこの子の頭の中におぼろげながらでも、とにかく、それらしい死の概念が入りこんだのである。

(後略)

(擬死について) 抄録

老境に至って、昔のこと、遠く遠く消えてしまった昔のことまでが、まるで昨日のように、心にひたひたと触れ、眼前に浮んでくる。

まだ幼い頃に家郷をはなれ、生まれの村を去るのは、さして大きなことではない。ときにはお祭気分にさえもなり、さあ、これからあたらしいものを見ようと、胸にはそれからそれと幻灯のような希望が去来するのだ。

けれども年をとるにしたがって、そうではない。一種名状しがたい哀別、名残りおしさがつのってくる。そして人生は、いつまでも、なつかしい思い出を揺りさましつつ終ってしまうのだ。その頃になると、幻想にみちた心の中に、なつかしい村の姿がうつって来る。そして初めてもの心のついた頃の生き生きとした気持のために、ありとある昔の風景が美化され、ととのえられて一層胸せまる思いをさせるのだ。ああ、そのころになると、現実をはるかに越えた、理想化された影像が、これはと見まがい、おどろくほどの正確さで、くっきりと浮彫されてくる。昔のこと、遠く遠く消えてしまった昔のことまでが、まるで昨日のように、心にひたひたと触れ、眼前に浮んでくる。

さて、わたしにしてからが、やはりそうだ。今、こうしてじっと眼さえ閉じれば、たちまちに、ああやがて一世紀の四分の三経った昔にまでたちかえり、そこでわたしがはじめて耳にしたのどをふくらませて鳴く蟇の声のする平らな石のあるあたりに来ているのだ。そうだ、わたしはそれを、まざまざと、はっきりと見るのだ。蟇の住家だって容赦なく、あらゆるものを破壊してしまう時間が、まるで位置も変えずに、あの石を、そのままそっとしておいてくれでもしたかのように……。

×

わたしはまた、小流れのほとりの、水の中で榛(はん)の根がからみもつれ合って、蟹どものかくれ家ができていたあのあたりをはっきりと眼の前に浮べる。いつしか、わたしが何か口の中でいっている。口をついて出てくる言葉……

《そうだ、ちょうどこの樹の根かたのところだったんだ。そうだ、この根かたのところで、大きな奴を一匹釣りあげて、なんとも言えないうれしさでこおどりしたっけ！

そいつの長い爪といったらどうだ！　まるで大きな、植木屋鋏みたいで、卵みたいにまんまるだったっけ。それというのもとても、あの頃は毎晩いいお月夜だったから。》

わたしはまた、遠くすぎたある春の朝、胸をどきつかせながら、じっと見あげた榛の木をすぐに思い浮べる。小枝のしげみのなかに白い綿のようなかたまりを見つけたのだった。そうだった。その綿の中に身をまげながら、心配そうにのぞきこんでいる赤い頭巾をかぶった小さい頭をちらっと見たのであった。すばらしいものを見つけたのだ！　無類の見つけもの！　ああ、それはひわの巣だったのだ。親鳥が卵を抱いていたのだ。そのときの大きな深い深い喜び！　そのときの喜びにくらべたら、ほかのいろいろな出来ごとなんぞ問題とするに足りない。そうしたほかの思いでについては何も言わずにいよう。また、それは父の庭の思い出の一つにくらべただけで色あせてしまうはかなさだから。父の家の小さな庭は勾配になって、長さは三十歩ばかり、幅は十歩ばかりで、村中で一ばん高いところにあった。庭よりも高いものといえば、四つの塔しかない。それはいずれも鳩の巣になっていた。その塔というのは、古いお城のそびえている小さな台地にある。父の庭からは細い小逕(こみち)がつづいていた。

うちから出て行くには、坂路(さかみち)というよりもがけと言った方がいいようなところをおりてゆくのだった。溪(たに)の底までずうっと漏斗(ろうと)のようになった坂路に沿って、段々になった庭が壁にささえられていた。わたしたちの庭はその一ばん高いところにあって、また一ばん小さいのであった。

庭には、ただ林檎の木が一本、枝をはっているだけであった。

キャベツ畠のふちにはいたどりが生えていたし、かぶら畠もあり、ちさの畠もあった。菜園と名のつくものといえば、それだけだった。要するに狭くて何も植えつけられないのだ。真南の陽(ひ)をうけて、上手(かみて)の方のがけをささえた壁のところには、葡萄(ぶどう)棚が円形にできていて、日のあたたかい時候になると、日数をおいて籠の半分ばかりも白い麝香葡萄がいくたびか穫れるのであった。われわれの御馳走といえばそんなものだった。これにはとなり近所の人たちからもずいぶんとうらやましがられたものだ。日あたりの申し分のないこんな場所でなければ、この白葡萄はならないからだ。

それから、よく子どもたちがいたずらしていて、あやまって高い崖からころげおちるので、そうした危険をふせぐ唯一の防禦をつとめてくれているすぐりの生籬が、台地のきれたところに植わっていた。

両親の監視の眼がわたしたちの上に光っていないようなときには、よく腹匍いになって、わたしと弟とは土くずれを防いでいる腹のような壁の下の深淵をのぞいたものだ。そこは公証人の家の庭になっていた。

そこにはつげの垣根があり、おいしい実がなるので評判の梨の樹もあった。その梨の樹にはずっと秋が深くなってから、黄色く熟した頃にやっと食べられるようになる梨が、それこそ本場の梨がなるというのであった。

わたしたちは、いつも、この公証人の庭にあこがれていた。わたしたちの夢には、その庭は天国だった。上からさかさまにながめるより仕様がない天国だった。けっして下のほうから見上げることのゆるされない、高いところから見下すだけしかできない天国だった。あんなに手広い場所と、あんなにもゆたかにみのる梨の木があったらなあ！　とは、いつもわたしたちの羨望であった。わたしたちの夢は梨の木ばかりではなかった。公証人の家には、そのほか美しい蜂小舎が沢山あった。そのまわりには、蜜蜂どもがまるで樺色の煙のように飛んでいた。この蜂小屋はいずれも、ちょうど大きなくるみの樹のかげにならんでいた。

　その大きなくるみの樹はたった一本だけ壁の裂目からにゅっと生えていて、わたくしたちの庭の境になっているあのすぐりの籬(かき)とすれすれになっていた。強いその枝は、公証人の蜂小舎の上にひろがっていた。が、その根はといえば、わたしたちの領分の中にのびていた。だから、根だけはわたしたちのものだった。ただ困るのは、その実をとることだった。

　わたしたちは、空中へ水平に張りだした頑丈な枝の上にまたがって、どんどん上の方へ這って行った。もし、すべりおちでもしたら、何かのはずみにポキンと枝でも折れたなら、ああ、思うだけでゾッとする。ひとたまりもなくおそろしい蜜蜂のまんまん中に墜落して、骨でも折るのが関の山だったろう。けれども、さいわいにしてわたしはただの一度も落ちたことがなかった。枝も折れなかった。わたしは弟からうけとった鉤のついた長い竿で、手のとどくところまで、一番すてきな実（み）のかたまりをたぐりよせて、たくみにポケットを一杯ふくらませることができた。馬乗りになったまま、今度は枝の上をあとずさりしながら、器用に足を地面につけた。ああ！　その時のうれしさと安心のよろこびのまじわった夢中に楽しいたまゆらよ！

　ゆらゆらとゆれうごく枝の上の幾つかのくるみがほしいばっかりに、おそろしい深淵の危険を冒したときの思い出！

　ああ、思わず長々と思い出をたどりすぎた。が、もうこのくらいにして置こう。わたしの空想（ゆめ）にとってこそ、なつかしいこれらの思い出も、みなさんにとっては、とるにも足らぬくりごととしかひびくまいから。

　どうしてこの上さらに思い出にふけられよう？　ただ、ひとえに、つぎのことだけでもわかっていただけば、わたしとしては満足なのだ……精神の薄暗い部屋の中に、最初に射しこんだ光は、歳月がそれをにぶらせるかわりに、かえって、はつらつとした、決して消えうせることない印象をそこにとどめるものだということを、わかっていただければ……。

（離郷賦）

懐旧の章

われわれは、現在よりもかえって思い出の時代の方に、くっきりした印象をもっている。

日々の雑務に忙殺されつづけの現在は、現に目の前に横たわっているものでありながら、そのこまかな部分においては、遠い昔、子ども心の晴れ晴れしさにかざられていた過去のことよりも、かえってあいまいで、漠たるものがある。

われわれは、現在よりもかえって思い出の時代の方に、くっきりした印象をもっている。

こどもごころにわたしの眼でながめたものを、わたしは思い出の中で、いとこまかにしかもはっきりと見ることができるけれども、今週、わたしの眼にしたものをそれと同じ程の精確さで思いうかべることは、どうしてもむずかしい。

ずいぶん遠い昔になってしまった故里の村のことなら、のこるくまなくおぼえているが、生活の偶然によってみちびかれて行ったあまたの都会をわたしはほとんど思い出すことはできない。微妙な優しさのこもったつながりが、われわれをふるさとにむすびつけているのだ。

われわれは最初に根をおろした地点を、なにがしかの破壊をこうむらずには見棄てることのできない植物なのだ。

きわめてみすぼらしいものではあるが、わたしはもう一度なつかしい村が見たい……私はそこへ骨を埋めたいものだ。

（現在と、思い出の時代）

人生のたそがれどきの、とある一日、むかしの里、なつかしいカルパントラスの村をたずねてみた。

わたしは人生のたそがれどきの、とある一日、むかしの里、なつかしいカルパントラスの村をたずねてみた。カルパントラス……このぎごちないゴオル名は、おろか者をほほ笑ませ、賢き者に物を思わせる。

ああなつかしの村里よ！　わたしはここで二十年という年月をおくり、人生の小藪に最初の羊毛の房をとりのこしてきたのだ。わたしのこの日の訪問は、そぞろなき巡礼であって、いまなお生き生きとしている幼き日の思い出のゆりかごの里にただ一度、晩年の眼をそそぎたかっただけのことだったのだ。わたしは通りすがりに、当時、わたしが教師としての初陣をやった、むかしながらの中学校に挨拶をする。外観にはなんの変わったところもなく、依然として、牢獄のような姿だった。

当時のゴシック式な教育は、学校をそんなものだと考えていた。青春時代のうきうきとした気もちや、のびやかさは、もってのほかなる有害物とみなされて、当時の教育は、これらに配するに、狭くるしさ、うら悲しさ、気もちの暗さなどの緩剤をもってしたものだ。校舎のごときは感化院といってそうまちがいはなかった。ヴィルギリウスのさわやかな詩句が、この狭くるしい牢屋の中で解説された。四壁をめぐらした熊の巣窟みたいな中庭がちらりっと見える。あそこでは、生徒たちが場所競合いをやりながら、よくプラタアヌの木立の下で遊んだものだった。そのぐるりには、てんで日の光というもののさしたためしがなく、空気も通わない、一種の猛獣檻がひらいていた。——それが教室なのだ。わたしはいま、もっぱら過去に話しかけているのである。今日ではもうこんな学校悲劇となんか、もちろん、おさらばを告げたのだから……。

おや、やっぱりまだあそこには煙草屋(たばこ)があるね。

水曜日の夕方、学校がひけると、わたしはいつもパイプにつめるだけのたばこを掛買で買い、そうして翌日の歓喜をその晩のうちに祝福したものであった。翌日の神聖な木曜日こそ、実に充実しているように感じられて、一日でわたしは難解な方程式をといたり、あらたに反応物の実験をしたり、植物を採集したり、それを判定したりした。わたしは金を忘れてきたようにみせかけて、おどおどしながらたのむのだった。まったくうぬぼれの強い人間には一文無しだということを打ちあけるのは心辛いものだ。わたしの無邪気さがいくらか信用の情を起させたものか、この煙草やさんのところで前借ができるようになった。

わたしとしては前代未聞のことがらだ。

ああ、あそこには昔のわが家もある。

いまでは神父さんたちが住んでいると見えて鼻声がきこえる。この窓口のしまった扉と硝子戸との間に化学薬品（新世帯の予算をごまかして、二三銭ずつ買い入れた薬品）を、わたしは家人たちの手に触れないようにしまっておいたものだった。わたしにとっては、パイプの雁首が坩堝(るつぼ)に、砂糖煮の巴旦杏(はたんきょう)壺がレトルトに、からし瓶が酸化物や硫化物の容器になったりした。スープ鍋のそばの炭火で、あぶなかろうとどうだろうとおかまいなく、わたしは研究上の設備をしたものだ。

ああ、わたしが嘗(かつ)てあれほど微積分に熱中したあの部屋をもう一度見たいものだ。

あの部屋からわたしはヴァントゥ山を仰ぎ見ては、のぼせて疲れた頭を休めたりしたものだ。ヴァントウ山といえば、この前の探検のとき、その頂上で北国産のゆきのしたとけしとを提供してもらったのだ。

あの黒板はきむずかしやの指物師（さしものし）から年五フランで借用したもので、結局、実価の数倍も支払っていながら、所要の前金がなかったばかりに永久に買えないでしまったのだ。この板の上にはどれほどの円錐曲線が、どれほどのもったいぶったわけのわからぬ字が書いては消されたことであろう！　わたしは全力を尽（つく）して勉強した。当時わたしは孤独ではあり、かえってむくいられそうなものだったが、どうしてかわたしがたしなむ道では、ほとんど得るところがなくてすんだ。できることならわたしはもう一度、はじめてみたいものだと思っている。

ライプニッツ、ニュートン、ラプラース、ラグランジュ、テナール、デュマ、キュヴィエ、ジュスィユウ……これらのひとびととわたしはあらためて、かわりがわりに話をしてみたいものだ。たとえ、その後でいかにして日々のパンを得べきやという、別な意味で難解な問題を解決しなければならなくてもかまうものか。ああ！青年諸君よ、わたしの後継者よ、諸君はきょう、なんてわりがいいんだろう。もしそれがわからないというなら、わたしは先輩の一人として、ここに一言のべて、諸君にのみこめるように、話してあげてもいい。

（再び故郷の村を見る）

6 独学の章

私は信念を構成するために、自ら観察し、自ら探索し、みずから実験することにする。まちがいのない話をするには、熟知したことからのみ出発すべきである。

独学にもそれ相応の価値のあるものだ。わたしはまたふたたび昔のあのつらい経路を辿(たど)ってみたいと思う。

もともと、先生の指導のもとに勉強をするというようなことがゆるされなかったわたしは、いまさら、独学の不便に愚痴をこぼしたとて何になろう。独学にもそれ相応の価値のあるものだ。

官学的な型にはめこまないで、独自の性質を完全に残しておいてくれるからだ。野性の果実も、熟せば温室の果物と別個の風味をそなえてくる。その味をあじわい得る唇には、苦味と甘味のまじった味をのこし、その対照によっていよいよ価値を増すのである。

もし、わたしにできることなら、そうだ、ふたたびわたしの唯一の助言者である本と首引(くびっぴき)を始めたい。もっともつねによく了解できるとはかぎらないが……。そしてよろこんで、たった一人で夜をふかしたり、頑強にそれを掘りさげてゆくうち、やっと一道の光明がさしてくるあのむずかしい問題に、もう一度ぶつかっていってみたい。わたしはまたふたたび昔のあのつらい経路をくりかえし辿（たど）ってみたいと思う。

　わたしの艱難（かんなん）の経路は、けっしてわたしの脳裏をはなれなかった。たった一つの望み、学んで得たわずかの知人につたえようという望みで元気づけられたのである。師範学校を出たとき、わたしの数学の知識はきわめて貧弱なものであった。平方根をみつけたり、証明をそえて、球の面積を計算したりすることが、わたしにとってはこの学問の頂上であった。ふと対数表をひらいた時、あの、おそろしい数字の累積はわたしにめまいを感じさせた。この計算の入口に来たばかりでわたしは尊敬をまじえた一種の恐怖にとらえられてしまった。わたしは代数についてはなんの概念も持っていなかった。その名前だけはおそわってみたが、この言葉のうらには、わたしの貧弱な頭脳のなかでは、なにやらわけのわからないことがごちゃごちゃに旋回していた。もとより難解の書をさがそうなどという気なんか毛頭なかった。これはちょうど味わいもしないで、もっともらしくほめたてる不消化な料理みたいなものである。

こんなことよりも、わたしにはわかりかけたヴィルギリウスの詩の方がどんなに好きだったかわからない。将来、永の年月、わたしが怖気(おじけ)をふるっていたこんな研究にわたしが没頭するであろうとわたしに告げる人があったとしたら、ずいぶんわたしをおどろかせたことであろう。

(後略)

(独学の価値)抄録

わたしは、丈夫な思索を鍬として数学という荒野にたった一人でとりくんできた。

むずかしい問題が、切りたった断崖のように屹立するとき、これをよじるための足場となってくれるなつかしい肩は一つもない。

わたしはたった一人でこのざらざらした障碍物にしがみつき、いくたびも墜落して、傷ついて立ち直り、ふたたび攻撃をはじめねばならぬ。

努力につかれ切って頂上に達し、やっとのことでいくらか見はらしができるようになった時、勝利の叫びを発してもたった一人で、勇気をつけてくれる反響なんかなかった。けれども、わたしの数学の独学は、しつこい思索を重ねなければならないだろう。

わたしは本の第一行からそれをみとめていた。わたしは抽象の世界に入って行った。あるものはただ、丈夫な思索という鍬だけが開墾くことのできる荒れた土地ばかりなのだ。計算の冷たさを理想の炉であたため、思想を公式の上に高め、抽象の洞窟に生の光で活を入れるのは、未知の中へ突入する努力を軽減する所以(ゆえん)ではなかろうか?

だが、直線を組み合わせた角ばった図形ばかり見ていたのち、曲線の優美なうねりを習いはじめた時、興味はいよいよ大きくなっていった。コンパスにはいままで知らなかった特性がどんなにあることだろう。

方程式の中には、どれほどむずかしい法則が萌芽の状態でふくまれていることであろう。方程式はふしぎなくるみであって、そのなかから、ゆたかな核(たね)ともいうべき定理を引き出すには、器用に摘出しなければならない。

この項のまえに+(プラス)の符号をおいてみよう。するとそれは楕円形で、遊星の軌道であり、その二つの焦点はたがいに一定値の動径をたもって引きはなされている。

−(マイナス)の符号を一つおいてみよう。すると、それは相反発する焦点をもった双曲線となる。無限の触手を空間に伸ばすこの絶望的な曲線は、しだいしだいと直線に接近して、漸近線となるが、ついに直線とはなり得ないものである。この項を抹消して見よう。すると、それは放物線となって、むなしく失われた第二の焦点を無限に求めている。それは砲丸の弾道であり、一日われわれの太陽をおとずれ、それから天外のかなたへ飛び去ってふたたび戻らぬある彗星の道である。

天体の軌道をこんな風に規定するとはおどろくべきことではないか。わたしは今なおそう思っている。

（独学者の言葉）

わたしはこの四十年来、昆虫をしばしば訪問して今になって、どうやら昆虫がわかりかけてきたのである。

"laudator tempori acti"（過去を讃美するもの）この言葉はぴったり来ない。世界は前(さき)へ前へと進んでいる。たしかに前進している。とはいえ、後退することもある。わたしの子ども時代には、人間だけが理性をそなえた動物だということを、よく四銭本(スウぼん)の中でおしえられたものだ。ところが今日では、堂々たる立派な書物のなかで、わたしたちは人間の理性というものは、動物性の根柢に土台をおいている段階の中の、より高い一段であるにすぎないということをおしえられている。段階に上下はあり、あらゆる中間的段階はあるが、突然中絶するようなところはどこにもない。それは細胞の蛋白質中の零からはじまり、ニュートンの力づよい頭脳にまで上ってゆく。したがって、われわれが、得々としていたこの崇高な能力は、動物一般がもっているところのものなのだ。生命ある原子から、人間のみにくい諷刺画である類人猿に至るまで、多少の差はあるが、いずれもその分け前を持っているのだ。
この平等論は、常に事実がうちあけてくれないものを打ちあけさせているように
わたしには思えるのであった。平野を得るために、人間という山巓（さんてん）を低くし、動物
という谷間を高めているように思えた。
こうした水平化の何か証拠になるものがあればいいのだが、そんなものは書物の
中には見つからない。あってもせいぜいのところ、あぶなっかしいものしかないか
ら、私は信念を構成するために、自ら観察し、自ら探索し、みずから実験すること
にする。まちがいのない話をするには、熟知したことからのみ出発すべきである。
そしてわたしはこの四十年来、昆虫をしばしば訪問して、今になって、どうやら
昆虫がわかりかけてきたのである。

（世界は前進する）

休むひまさえない時ほど、人は幸福なことはない。働くということ、それのみが生きていることだ。

——息・エミイルへの手紙——

《今度はおまえに、こういうことがわかってくる番だ。ただの一分間たりとも、休むひまさえない時ほど、人は幸福なことはないということが……。

そして、これこそわたしがおまえに対して希望するところなのだ。働くこと、それのみが生きていることだ。》（一八七九・一一・四）

（はたらくこと）

わたしは非常に幾何学に負うところがある。

わたしは師範学校時代に、ある教師の指導の下に、初等幾何学を少し学んだ。はじめの二三課からわたしはこの学課がかなり良くわかった。わたしは幾何学は、観念の叢を通して、理性をみちびく一つの方法であるような気がした。途中あまりつまずかずに、真実を探求する方法のように思えた。何故かといえば、前進する一歩一歩がすでにあるいた足跡の上に確固たる足場を持っているからだ。わたしは幾何学の中になによりも優れている点、すなわち、知的剣道の道場を予見したのである。証明された真理を応用することなどは、わたしにはどうでもいいことだ。わたしを夢中にしたのは真理を明らかにする筋道である。一つの非常に明瞭な点から出発して、次第に暗闇の中に入ってゆく。今度はこの暗闇が、もっと高い所に登るために新しい光を放ってかがやく。既知から未知へのこの漸進的侵入、前にさきだつ者の光で、後に従うものをてらすこの細心な龕灯、これがわたしのすっかり気に入ったところである。

　幾何学はわたしに思想の論理的発展をおしえたのだ。また、いかにしてむずかしいものがいくつものきれはしに分割され、それが順次明らかにされると、あつまって一つの挺子（てこ）となり、直接ぶつかってはびくともしない石塊をうごかせるようになるか。最後に、いかにして光明の基となる秩序が生まれてくるかということを教えてくれたのである。もしわたしが、これまでの文章をあまり骨折らずに書き得たとすれば、その大部分は、思想操縦術の驚嘆すべき先生なる幾何学のおかげである。なるほど、幾何学は概念を与えてはくれない。

　概念とは、どうして開くのかわからない極（ご）くかよわい花であり、どこに植えても立派にそだつわけのものではない。しかし、幾何学は縺（もつ）れをととのえ、繁みを刈りこみ、騒ぐものをしずめ、混濁を濾（こ）し、明快を与える。明快こそは修辞学の寓意よりはるかに優れたものである。だから、文筆労働者として、わたしは非常に幾何学に負うところがある。

（幾何学と私）

わたしの青年時代、科学のまえに文学上の研究をするのが通例だった。

わたしの青年時代、誰でも科学の研究をはじめるまえに、かならず何か真面目な文学上の研究をすることが通例となっていた。

化学の毒物や、力学の挺子に手を触れるまえに、古代の立派な人格者に親しみ、ホラアス・ヴィルギリウス、テオクリトス、プラトンなどを語ることが必要であった。

このような準備によって、思想の緻密さはいよいよ増すのであった。

進歩がわれわれに課する欲求につれて、生活の要求がいよいよ酷烈(こくれつ)となり、このようなことはすっかり変えられてしまった。正しい言葉なんて下らない、まず実務だ——というわけだ。

このようなスピードをたっとぶ風潮がわたしのせっかちな気持に合ったのだろ

う。わたしは白状するが、サイン、コサインに手を染めるまえに、ラテン語とギリシア語とを課する規則に憤慨したものである。今では年の功と経験とを積んだおかげで、もうすこし見解も広くなって、まえとはまるで違った考えをもっている。わたしは自分の貧弱な文学的な教養が、もっと指導よろしきを得て、もっと永くつづけられなかったことを甚だ残念に思っている。

（科学の前に先ず文学）

筆をとるものは、なにかしら語るべきものを持たねばならない。

わかい頃、夜を更かして、鉛筆で書き込みをした尊い尊い書物たちよ、わたしはふたたびおまえたちをさがしだした。こんどこそ、おまえたちはむかしに増してわたしの座右の友となるのだ。なつかしい古典の書物たちよ。おまえたちは、筆をとるものには一つの義務が課せられていることをわたしにおしえてくれた。

それは人に興味を覚えさせる、何かしら語るべきものを持たねばならぬということである。もし題目が自然科学の範囲に属するものであったら、大てい興味を覚えさせることはたしかだ。むずかしいのは、しかも非常にむずかしいのは、その刺を取って、もうすこし人ずきのするていさいにして示すことだ。

×

真理というものは裸で井戸の底からでてくるものだそうだ。たしかにそうだろう。

しかし行儀よく着物をきていれば、一層いいわけではあるまいか。真理は修辞学の衣服部屋から借りて来たけばけばしい裾飾りを要求しはしないが、せめて葡萄の葉が一枚欲しいのだ。ただ幾何学者だけがこの質素な衣服をさえも真理に拒む権利がある。というのは、定理は明快でさえあればいいのだから。

その他の学者、ことに博物学者は真理の腰のまわりに幾分、絽の下着をきせてやる義務がある。

（中略）

わたしには、思想の浮彫こそ、素朴な映像をもった明快な表現を要求するように思われる。本来の位置におかれた、言わんと欲するところを騒がしくなく言う適当な言葉は、選択を必要とする。幾度もの吟味を重ねた選択を要する。言葉には演説のきまり文句になるような、色褪せた言葉もあれば、また、言おうなら、色彩に富み、灰色の絵のバックに光の線をえがく絵筆のタッチにも似た言葉もある。

このような、イマアジュをまのあたり見せるような生き生きとした言葉、人の注意を集めずにすまぬような警抜な表現法は、はたしてどういう風にして見つけたらよかろうか？　文法を重んずる、耳に快い言葉にそれを結び合わせるには、どういう風にすればよいだろうか？

わたしはそのような技術を誰にもおそわらなかった。それに一体こんなことは学校でならうことだろうか？　大いに疑わしい。もしわれわれ自身の脈管に流れる生来の火、霊感が助けてくれなかったなら、われわれは徒らに語彙を繰るだけで、希望する言葉なんか出て来ないであろう。それではわれわれの中に潜伏しているまずしい芽を成長させ花を咲かせるためには、どんな先生に助けを求めたら良いか？　読書である。

（筆をとるものの義務）抄録

先生のないわたしは読書をつづけてゆくうちに次第に言葉の魔術（ちから）というものがわかってきたのである。

若い頃、わたしはつねに熱心な読書家であった。しかし、たくみにあやつられた言葉の妙（たえ）な味（あじ）などにはわたしはほとんど興味を覚えなかった。と、いうのは、わたしにはそんなものは理解できなかったのだ。

かなりのち、十五歳ばかりになると、わたしはおぼろげながら単語にはそれぞれ特有の容貌のあることに気がついた。

ある単語は他の単語よりも意味をよく浮き出させ、調子のひびきがよいのでわたしをよろこばせた。こうした言葉はわたしの頭の中に明瞭な映像を描いてくれた。おのおの独自の方法で、えがかれた対象の絵をしめしてくれた。

名詞はその形容詞によって色彩を与えられ、その動詞によって生気をあたえられ、生きた現実となるのである。書かれたことが眼の前にはっきりとうかんでくるのである。

こうして、先生のないわたしはわたしだけの読書をつづけてゆくうちに、読んでやさしく、しかも品のある文章が見つかるにつれ、次第次第と言葉の魔術（ちから）というようなものがわかってきたのである。

（読書のこと）

独りで学ばねばならぬあわれな入門者たちよ。《自信をもて。そして前へ進め！》

木曜日は日曜以外に唯一の休日である。わたしは眠たさに倒れるまで勉強に用いる夜の時間がある。学校の用事はあるが、要するに暇がないわけではない。大切なことは避けがたい難関に落胆しないことである。

わたしは葛の生え茂るこのこんもりとした森の中に直ぐ迷ってしまう。しかし光明を得んとするためには、この葛を斧で斬りたおさねばならぬ。ぐるぐる回っているうちにさいわいに自分の道にもどる。が、また迷う。執拗な斧はかならずしも十分な光を得るとはかぎらないが、ぬけ道をつくってゆくのである。

書物は書物だ。きまりきった簡単な文だ。それがいずれも非常に博学であることはわたしもみとめるが、かなしいかな多くの場合わかりにくい。著者は自分自身のためにそれを書いたように思える。自分にはよくわかったのだから、他の者も俺と同じようにわからなければならないと言った調子だ。

独りで学ばなければならぬあわれな入門者たちよ。どうにかしてここを切りぬけて行きたまえ！　諸君にとっては、別の方から難点を見なおす法はないし、険路(けんろ)をやわらげて、近寄り易(やす)くする回り道もなく、かすかに光明の射し込む補助の窓もないのだ。他の攻撃法でやり直すことができ、光明に進む道をさまざまに換えることのできる言葉とは、比べものにならぬ程劣る。本は、書いてあることしか言わない。それ以上のことは何も説明してくれないのである。証明がすめば、諸君にわかろうがわかるまいが、御神託は厳酷に口をつぐんでいるのだ。

諸君は本文を読みかえし、執拗に考え、計算の緯(よこいと)の間に梭(ひ)をやったりとったりする、その努力もむなしく、暗闇には一向光明が射してこない。

かがやきてらす光をあたえるには大ていの場合どうしたらいいのか？

何でもない。簡単な一語の助力があれば足りる。しかも書物はこの一語を語ってくれないのだ。先生の言葉によってみちびかれるものは幸いです。かれの歩みは気をじらす足止めの不幸を知らない。時々わたしのまえに立ちふさがって行方をはばむ壁のまえに立った時、どうしたらいいのだろうか？　わたしはダランベェルがわかい数学者たちに忠告して語った掟を履行した。

この偉大なる幾何学者は言った。《自信をもて。そして前へ進め！》

わたしは自信はもっていた。そしてまっしぐらに勇敢に進んだ。それがよかったのだ。壁のまえに求めていた光をしばしば後ろに見出すことがあった。

未知のなかに残してきたまちがった足どりを爆破できる爆弾を、先に進んでからひろうようなこともたびたびあった。それは最初、臆病な粒である、貧弱な毬（まり）であるが、転がっているうちに大きくなってゆくのだ。

定理の坂を次々に転げて行くうちに毬は塊となり、塊は強い弾丸となり、あともどりして、後ろざまに投げつければ、闇は打ち破られ、光の滝がくりひろげられるのだ。

濫用さえしなければ、ダランベェルの掟には立派なものがあり、優れたものがある。

御しがたい先き（さ）の頁へいそいではばかりいては、多くの誤解を招くことになろう。

むずかしい点は、放棄するまえに爪と歯をすりへらさなければならない。
この乱暴な剣術から知力は生まれるのだ。

（自信をもって進め）

さきのことはわからないから、私は観察するにしたがって、日を逐って書いてゆく。

今日はじめたかとおもうと明日になると打ち捨てたり、しばらく経ってまた取りあげ、さらにまた中止するといった塩梅で、昆虫研究の歩みはその日その日のぐあいでなかなかすすまない。

季節の移り変りがまた、くさくさするほど長たらしい休止を課する。その季節の移り変りは、たとえそれ以上長くはないにしても、とにかく翌年まで待ちこがれる解答を持ち越させる。それればかりか、それが孤立している場合には、興味のごく薄い偶然的な出来ごとによって、通例持ち出される問題なるものが正確な疑問の手がかりとなるのに適せず、不意に混沌としたかたちで生まれる。

また碌に疑問にもされないものを、どうして問いただすことができよう？　問題を正面から攻撃するには既知の材料が不足なのである。

既知の材料を断片的にあつめ、それらの価値を試験するために、種々なる試煉にかけ、それらを束にして未知の問題をとりかこみ、段々に解決にみちびくというようなことは、好都合な期間がいたってみじかいだけに、いよいよ長時日を要するわけである。

歳月はいたずらに流れるが、完全な解決に至らないことは一再に止まらない。つねにみたすべき欠陥が残り、明るみに持ちだされた事実の背後に、闇にまぎれた他の幾多の事実が待っている。

すでに述べられた事柄をさけて、その都度完全な物語を述べる方がこのましいということは、わたしとてもよく承知している。が、本能の領域で、大切な落穂をただの一本も残さずに収穫をなしおわったと誇り得る人があろうか？　時として畠に残された麦の穂は最初の穂よりはるかにすぐれた興味をもつものである。研究問題をあらゆる点にわたって詳細にきわめつくさなければならないとしたら、おそらく何人も、あえて自分が知っているわずかな事実を書こうとはしないだろう。

若干の真理がときどき明らかにされる。事物の巨大なモザイクにおける極小の部分である。たとえ貧弱なものであろうと、自分の発見を吹聴しよう。同様に若干の小部分を採集している他の人がやって来て、全体を一つの絵にまとめてくれるであろう。その絵はさすがにすこしずつ大きくなっては行くが、つねに未知という瑕がつきまとうだろう。それにまた、老齢の重荷が、気の長い希望を持つことを私に禁じる。さきのことはわからないから、私は観察するにしたがって、日を逐って書いてゆく。この方法はなにもすきこのんで選んだわけではなく、よんどころない手段であるが、その後のあたらしい研究によって得られた見解が、最初の原文の欠を補い、時としてそれを改める場合、むかし取り扱った問題に多少後戻りしてふれることをよぎなくさせるのである。

（観察の苦心）

わたしはわからぬことについては、全然、わたしにはわからぬと、白状する。

わたしは自分の無智を、そうひどくはずかしがらず、わからぬことについては、全然、わたしにはわからぬと、白状することにしよう。それは学者らしい態度ではないかも知れないが、すくなくともわたしのこの答は一つの値打ちをもっている。すなわち、真正直という値打ちである。

（自分の無智）

要するに《知識》などというものは、畢竟（ひっきょう）、《懐疑》にほかならない。

わたしたちの持っている《真理》なんて、ほんとにかりそめのものにすぎないということをわかってもらいたいと思う。それは、明日の真理においてしりぞけられる。そして、それらは非常に矛盾した事実によって錯綜しているのであるから、要するに《知識》などというものは、畢竟（ひっきょう）、《懐疑》にほかならないのだ。

（私たちの真理）

ある晩、わたしの思想に焔（ほのお）を与えてくれた
なつかしい火種（ひだね）のこと。

人にはだれにでも、その思想傾向にしたがって、今の今まで考えてもみなかった世界を示してくれ、心に一新紀元（しんきげん）を画（かく）してくれる何らかの書物があるものだ。その書物は、われわれが智の限りをつくして傾注（けいちゅう）すべき新しい世界の扉を大きく左右に開いてくれるのである。それは炉の中に焔（ほのお）をおこさせる火種（ひだね）だ。

もしその力添えがなかったなら、炉の中のものは、すくなくも役に立たぬものとなってしまうことであろう。そして、その有難（ありがた）い書物は、われわれの思想上の進化における新しい紀元の出発点となるものであり、それは偶然の機会によって、思いがけなくわれわれにあたえられるものなのだ。意想外の事情が、何かの拍子に眼にふれた数行の文字が、われわれの未来を決定し、運命の轍（わだち）の中にわれわれを引きいれてしまうのだ。

ある冬の晩のこと、家の者がみんな床につき、ぐっすりと寝静(しずま)ってしまったあとで、わたしはまだほとぼりの消えぬ煖炉(だんろ)のそばで読書に気をとられ、明日の心配を忘れていた。

明日の心配というのは、もうこれまでに学士号をいくつも得ているうえに、二十五年間勤続して、多少功績をみとめられている物理の先生が、自分と家族をやしなうためにもらっている給料が、名家の馬丁(ばてい)よりもはるかに少(すくな)い千六百フランだという実に思うも心の暗くなる心配なのだ。その当時の社会は、教育のことに対して、言うも恥になることではあるが、こんなにも吝嗇(りんしょく)であった。けれどもまた、それは行政上の手つづきのわずらわしさや、ごたごたのせいであった。私は正規の教育をうけていない独学の人間であった。だからわたしは読書によって教職上のひどい貧乏を忘れようとしたのだ。その頃、どういう事情で手に入れたか覚えていないけれども、わたしは昆虫学上の一小冊子のページをめくっていたのである。それは当時の昆虫学の巨匠、尊敬すべき大学者レオン・デュフールの著書で、たまむしを捕食する蜂類の習性に関する研究であった。もちろんわたしはそのときはじめて昆虫に興味を感じだしたというわけでは決してなかったのだ。子どもの時分から甲虫や蜜蜂や蝶などは私をことのほかよろこばせてくれたものだ。物心がついてこの方、わたしはおさむしの翅鞘や、きあげちょうの翼などの素晴らしさに恍惚となったものだった。煖炉の薪は用意がととのっていた。ただそれを燃え立たせる火種がなかっただけだった。レオン・デュフールの書物を偶然手に入れて読んだことが、実にその火種となった。

新しい光が湧き立って来た。それは私の心にはあたかも神の啓示のようなものであった。美しい甲虫をコルクの箱の中に並べて、それを命名したり分類したりするということが科学の全部ではなかったのだ。科学にはさらにさらにすぐれた何ものかがあったのだ。動物の構造や、ことにその機能の深い研究がある。私はこの立派な書物を読んで大いに感じさせられてしまったのだ。しばらくたった後、熱心に求めるものにはかならず見出すことのできる仕合せな事情にめぐまれて、わたしは昆虫学に関する私の最初の研究を公にした。それはレオン・デュフールの研究に対する補足のようなものであった。この処女研究はフランス学士院の賞讃を得て、実際生理学賞を授与された。けれどもこれにもまして、いやこれに数倍したうれしい御褒美は、わたしに研究の動機を与えてくれた当のその人から、間もなくきわめて激励的な賞讃の手紙を与えられたことであった。この尊敬すべき恩師は、ランド地方の奥から熱情のこもった喜びの言葉を寄せられ、その道の研究をつづけていくようにとねんごろなる勧めの言葉をおくってくだされた。この事を思い出すと、こうして年老いてしまったわたしの瞼も、いまだに清い感激の涙があふれてくる。

おお、幻想の美しかった日よ！

未来を信じた麗日よ！

お前はどうなったのだ！

（思想に焔を与えてくれたなつかしい火種のこと）

――私が最もよく知っていること、それは私が何も知らぬということだ。

二つの同種類の事実の中、その一つが他と矛盾せずには説明できないような学説を、私はあまり尊敬できない。その学説が児戯に類するものに至っては、私は微笑を禁じ得なくなる。その例をあげてみれば――『なぜ虎は黒縞の鹿子色の毛色をしているのだ?』『環境のためだ。』と、進化論の大家は答える。『この動物は、太陽の金色の光が帯のような形をした葉影のためにさえぎられている竹林に待ち伏せする。だから、そのために、彼はたくみに身をひそめようとして、環境の色彩をおびるようになったのだ。太陽の光線は毛色を鹿子色にし、帯のような形の葉影はその毛色に黒縞をのこしたのだ。』と、さらに大家は仰せられる。この説明を承認しないものはまったく気むずかし屋といわれても致し方があるまい。

ところで、私はそうした気むずかし屋の一人なのだ。このおはなしが、もしも食事のおわりにでも、一ぱいきげんで口にされた食卓でのほんの冗談ででもあったなら、私はよろこんで、成程そうかねえ、位のことをいって相槌を打ちもしようが、はなはだ残念ながら、それは科学の窮極の言葉として笑いもせず、横柄な顔で、もったいぶった言い方で、いいふらされているのだ。トゥスネルはそのむかし自然科学者たちにむかって、トリックのある質問を発したことがある。

《何故》と彼はまず云った。

《なぜ、あひるには臀のところに小さなちぢれっ毛のような羽がついているのですか?》 幸いなことにその当時は進化論などまだなかったので、誰一人として、私の知る限りでは、この意地わるな質問者に答えることのできるものはなかった。今日だったら、虎の毛の色の説明と同じように、明快で、根拠のある説明が、見る見るでっちあげられたかもしれない。

下らぬ話はもうこれで沢山。おおはなむぐりの幼虫が、背中で歩くのは、彼が、最初からそうしていたからのことだ。

決して環境が動物をつくるのではない。動物が環境に対して、神様によってつくられるのだ。ごくありきたりの、こうしたごく手っとり早い哲理に、私はさらにソクラテスが表明した次のような哲理をつけ加えて置こう。

――私が最もよく知っていること、それは私が何も知らぬということだ。

（よく知っていること、それは何も知らぬということ）

植物に対する人間の知識は食物への欲求のごとくに古い。だが、昆虫に対する知識は、きわめて新しいのだ。

植物に対する人間の知識は食物への欲求のごとくに古いものである。が、その反対に昆虫に対する知識はといえば、きわめて新しいのだ。古代人は小さな動物を知らなかった。そして一瞥(いちべつ)をくれてやろうともしなかった。こうした軽んじ方は決して今日なくなっているわけではない。

成程(なるほど)、われわれは蜜蜂や蚕(かいこ)の仕事をぼんやりとは知っている。蟻の工業についても聞いてはいる。ほかの虫と一つにして、はっきりしたことは知らないが、蟬が歌うとも知ってはいる。蝶の豪華な姿に、ぼんやりと見入ったこともおそらくはあるであろう。昆虫学の知識は、われわれの大多数にとって、まずせいぜいこの程度でおしまいだ。その道の専門家ではないかぎり、たとえ最も有名なものの中から選んだ虫にしても、誰があえてその名を言おうとするであろう。

野良(のら)仕事のこと、野良のできごとの色々(いろいろ)な観察にはかなり鋭いプロヴァンスの農人たちも、昆虫の無限の世界をごちゃごちゃに指名するのに、せいぜい一ダースそこそこの言葉しか持っていないのに、植物を指すためには、とても豊富な語彙(ごい)をもっている。植物学者にしか知られていないと思われるような草の芽生えでも、農人には親しみのあるもので、正確な名前を持っている。

（昆虫の知識）

弟へ。みずから進んで習学(まな)ぶということほど役に立つものはない。

——弟への手紙より——


《今日は木曜日だ。

おまえを外に呼びだすものはなにもない。おまえは、ごく静まりかえった隠れ家を選ぶ。そして、そこにはいい工合に、なごやかな陽ざしが射し込んで来る。

そしていま、おまえはテーブルに両肱をついている。両方のおや指を耳のうしろにあてがい、一冊の書物が眼のまえにひらかれている。いまや、知性はあざやかに眼ざめて来た。意志はその手綱をにぎりしめる。

外界は消え失せ、耳には物音一つきこえてこない。眼には何ものものうつらない。

肉体すら無にひとしくなっている。ただひとり心霊のみがらんらんとかがやき、ひたすらに自らを究め、掘り下げてゆく。魂は自らの学理を発見する。すると、パッと光明が射す。

かかるとき、時間は早く、実にまたたく間に過ぎてゆく。あまりに早く経ってゆくので、時は自らを刻むことすらできない。

ああ、もう、日が暮れてしまった！……けれども、真理はぞくぞくとかたまって、記憶の中に集って来た。

だがしかし、昨日おまえの行く手をはばんだ多くの難問題は省察の炎の中にあとかたもなく、渾然と溶けてしまった。でも、でも、おびただしい分厚な書物はたちまちにして、片っぱしから読みつくされ、そしておまえはこの一日すっかり満悦する……。

もしも、かりに、何かのために、おまえがひどく困却しても、決して決して仲間の扶（たす）けを求めてはならない。なまなか、はたから援助されたのでは、困難はただ形を崩したにとどまり、けっして消えてしまうものではない。

忍耐と省察とによってのみ、おまえの困難を突破し、転じて自分の手に握ることができるのだ。

さらに、みずから進んで習学ぶということほど役に立つものはない。そしてわたしはおまえに言葉を強くして、特に科学にとって観察ということほど助けになるものは他に無いということを、はっきりと忠告して置く。

一冊の科学書は、これから解くべき一つの謎なのだ。おまえが、その謎をとくカギを他から与えられたら、その説明ほど簡単で、且つ自然に見えるものはなかろう。けれども第二の謎ができたらどうする。するとふたたび、それを解くことの至難さは、第一のものに対すると同様、まったく見当さえつかない程であろう……。

わざわざこっちで求めないでも、むこうから、なにか教訓が提供されるような場合もあるだろう。が、決して容易で、物質的に割のいい方を択ぶというようなことをしてはならぬ。

これとは正反対に、できるだけ一番むずかしく、とっつきにくいものを選んできくがよい。むしろ、それがおまえにとってまったく未知なものであれば、なおさら、むずかしいのを選ぶがよい。耳の端さえも見透かされることを好まないであろうところの自負心こそ、意志の力の補助である。

ラテン語の、わずかばかりの、大してやり甲斐もない稽古のために、巴里(パリ)を戸毎(ごと)にかけずりまわったジュール・ジャネン【原注　Jules Janin フランス劇および文芸批評家。その豊富なローマ古典の駆使で有名。一八〇四―一八七四。】の態度を忘れてはならない。

彼はこう言いのこしている。

――余の馬鹿な生徒たちは、いくら教えてやっても、何もおぼえてくれない。まったく無駄骨だった。侯爵の息子と来たら、まったくのウドの大木で、うすのろだった。

この息子のお相手をして、私は生徒になったり、先生になったりして勉強した。そして古代の作家たちの作品を相手かまわずせっせと自分のために解説していった。

こうして数ケ月のうちに、私は修辞学の立派な講義を私自身のためにすることができるようになった。――と、ジャネンはいい残している。

何よりも一番肝腎なことは、どんなことがあっても、けっして失望してはならぬということだ。

時間というものなど、もし意志が常にはたらきつづけ、躍動しているかぎり問題とするにあたらない。

みずから道をつくってやってくるのが力なのだ。ひたすら、こういうような勉強のやり方で、二三日間せっせと努力してみるといい。

精力をことごとく一点に集中してさえ置けば、地雷のように、かならず、一切の障碍物を根柢から爆破し、とりのぞいてくれるのだ。

まあ、両三日、いまいったような忍耐の力、不撓の力をもって努力してごらん。

そうすれば、なにひとつとして手に負えないものはなくなってしまうということがわかるだろうから。》（アジアッシオにて。一八五〇・六・一〇）

（読書の態度）

わたしはむずかしい言葉をつかわなくても立派なことを言えると確信している。

経験と研究とで成熟した理性の教えることを、本能が卵のためにしているということを示すのは、けっして貧弱な哲学的意識しかもたない事柄ではない。で、厳粛な科学におよびさまされた一つの懸念がつねにわたしを捉える。

それは科学にしかつめらしい相貌をあたえようと思うからではない。

わたしはむずかしい言葉をつかわなくても立派なことを言えると確信している。

明快ということがペンを持つ人の何よりの礼儀だ。わたしもできるだけそうしようと気をつけている。

(明快)

付録　詩四編

風車小屋
こがねむし
小ネコのお祈り
セミ

風車小屋

子どもにはいい
歌のようだ
ふしはみじかく　めずらしく
なんともいえない　ふしまわし
丘の日なたの風車小屋
クルクル　クルクル　クルクルクル
風は強いし　よくまわる
ゴットン　ゴットン
それつけ　やれつけ
麦は粉（こ）になる
明日の分（ぶん）

こがねむし

コガネムシさん　ちびっ子さん
ちっともこわがることはない
こがねのようなこげ茶色
よちよちきたきた　コガネムシ

小さな角（つの）をごらんなさい
お手々にとってごらんなさい
すると羽音（はおと）がぶーんぶん
かわいいヴィオロンおもしろい

小ネコのお祈り

まるまるねむる　かわいい小ネコ
ねむりながらも感心な
今日のお祈り忘れない
ごろごろごろと　やすらかに
のどをならして　窓明かり
ママにだかれたこの小ネコ

ごろごろいうのは私の小ネコ
小ネコはねます　ワラの上
お祈りすませてワラの上
背戸（せど）の枯葉に日があたる

「さあ 神さまに祈りましょ」
「みな達者にと祈りましょ」
かわいい小ネコが目をつぶり
なにやら祈っているような
まぶたをときどき　あけながら

セミ

おお暑い
おお暑い
真夏の雲がむくむく高い

おお夕立だ　庭さきだ
プラタナスの梢（こずえ）では
親ゼミ　子ゼミがさっきから
いいお天気だとさわいでる
子ゼミよ　子ゼミ
親ゼミ　子ゼミ
もろい銅鑼（シンバル）かきならせ
うんと陽気にするがいい
どうせ二月（ふたつき）こせぬ身だ

『ファブルの言葉』まえがき

《真理ははだかで井戸からでてくる。》と、ファブルは言います。

《だから、わたしははだかの真理にきよらかな葡萄の葉をつけてやろう。》

そういって、かざりつけの簡朴な言葉で、幽遠な学理や、人生の教訓や思い出をつづってくれました。

この書物は、そういう意図のもとに、訳編したものです。

昆虫記や尨大(ぼうだい)な科学書などにより、ファブルに親しまれたあとで、その『あとあじ』を反芻(はんすう)して見たいとお思いになりませんか?

昆虫記やその他の書では、まだ糊の固さのこわばりの揉みおとされていない肩衣も、ここでは、ほのかな山繭のゆかたとなって肌膚を肥してくれるのです。

言わば、講義中のファブルを、くつろぎの座に招じて、こんこんとつきせぬ、豊かな思い出や、来し方の学びとりなどの醍醐味を乞い、その語り口(くち)が仄めかす渋い

『点前（てまえ）』にあずからせてもらう、それがこの書の味なのです。

ですから、ここでは昔の情熱がひかえ目ないぶし銀のつやを随所にただよわせています。ふるさとへの述懐が分析され、学説の渋面（グリマス）がほごされ、愛し子を失ったやさしい父の悲しみが、老年期の感傷となって薫蒸されています。

文学への理解や幾何学への精進や後進へのいつくしみ深い訓（さと）しや、わびしい独学者への温い助力や、せぐりあげるような家族愛、母性の尊重、父親の義務、学徒の戒心、求学の若者への指南などが、アルマを吹く緑の風や、えにしだにやどるこがねむしの羽唸りや、たかじゃこうそうのふくいくたる芬（かお）りの中で語られています。

これを書いている間にも、天然の実験室では、かわいい虫たちが、もぞもぞと、過変態のいとなみをつづけていたことでしょう。

あくまでも、しかつめらしい学名を忌み、わかりやすい言葉で、わかりやすく自然を解説する隠士の謙譲さが、こうして、ついに科学を万人のものたらしめてゆくのです。

あるいはつづかぬ体力の悲しみに老年のさびしい地平線を嘆きながら、反比例して逞しくなりまさる精神力と眼識をもちあつかう老科学者のモノロオグででもありましょうか。

　要するに明快ということがペンもつ人の何よりもの礼儀だと心得る人の教養高い『人生訓』です。

　この、たゆみなき精進、物心一如の生活、逞しい洞察、不正へのあらがいがたき敵意こそ、我が大東亜建設の聖世紀における、知識人たち、殊に向学の若人たちの須臾もゆるがせにできぬものと考えましたので、たどたどしい禿筆をかってはしたなくも集成した次第であります。

×

　私は、永年、ファブルの書物に親しんで来ましたが、どれを読んでも、昆虫の観察のてんまつについて語られている言葉の合間合間に、そのまま読過するにはもったいない程のためになる、そして興味津々たるエピソードや箴言や人生訓や、無限にゆたかなその人生経験からにじみ出た得難い教えがいっぱいにありますので、一人でも多くの人々に、たとえ、昆虫に趣味のない人々でも、手軽く読める本にして、そうした宝玉をまとめ上げたいと思っていたのです。幸いここに、永年の宿望をとげることができたので、わたしとしては、こんなにうれしいことはないのです。

したがって、本書は、ファブルの全著作にわたって瀰漫している、この科学者的詩人の滋味深い脈管の中から、もっとも鮮かに浮きぼりされた言葉のみを摘み取って束ねたラベンドルの花輪です。

訳者にとってこの仕事がどんなに楽しいものだったかは、本書を繙いて下さる方々のみにわかっていただけると存じます。

——二六〇二・五・下浣——

三河島　青宋居にて

訳者

あとがきに代えて

親父・平野威馬雄が八十年近く前に刊行した『ファブルの言葉』が再刊されることになりました。

威馬雄は、「あの時代にファーブルの翻訳をやることは憩いでしたね」と、奥本大三郎さんに語っています（『完訳　ファーブル昆虫記　第一巻　上』「訳者まえがき」より）。

仏文学者であった威馬雄は、一九二五年にアルスから『田園の保護者』というファーブルの著作を訳しています。この作品は後年、同社の「ファブル科学知識全集」にも再録されました。一九四一年には、主婦の友社からファーブルの公式な伝記といっていいG・V・ルグロの『昆虫の詩人　ファブルの生涯』を刊行して、好評を博しました（この本は戦後、藤森書店から再刊され、ちくま文庫にも入りました）。

その翌年夏に出たのが、この『ファブルの言葉』です。

太平洋戦争が始まって半年が経ち、敵国人であるアメリカ人ヘンリイ・パイク・

ブイを父に持つ威馬雄には、以前にもまして生きにくい時代になっていました。

困難な状況のなか、ファーブルの多くの著作から名言や挿話を渉猟し、小さな花輪として『ファブルの言葉』を編集することは、「まえがき」に記しているとおり、楽しみであったようです。その時間は、まさに憩いのひとときであったかもしれません。

親父は、モーパッサンとファーブルの著作を数多く訳しており、「この二人に食わしてもらっているようなものだ」と、二人の写真を飾って拝むほど敬愛していたことも思い出されます。

また親父は生前、この『ファブルの言葉』を、「もっとも気に入った本だ」と語っていました。

いまは私の手元にも残っていないこの本が、かたちを変えながらも、ふたたび読まれるようになって、うれしくおもう次第です。このささやかな一冊が、多くの人の手にわたり楽しんでいただけることを、心から願っています。

平野睿史（さとし）（ルイ・シン）

（編集注記）

本書は、平野威馬雄訳『ファブルの言葉』（一九四二年七月、新潮社刊）を底本としている。刊行にあたり、以下の方針を定めた。

一、底本にあった百三十四項目から、六十三項目を収録した。本書では、内容を分野別に整理して、六つの章を立てた。

一、本文を勘案し、各項目に新たに見出しを設けた。各項目末尾に、底本での表題を記した。

一、底本の旧字体・歴史的仮名遣いを、新字体・現代仮名遣いに改めた。

一、底本にあった振り仮名はゴチック体で表記した。編集部において、現在の読者にとって難読と思われる個所に明朝体で読み仮名を補った。

一、底本にあった割注は【原注】として残し、編者による注記は〔　〕内に記して、それぞれ本文中に示した。

一、底本の巻頭にあった「まえがき」を巻末に移した。

一、《付録》にあるファーブルの詩四編は、G - V・ルグロ著『ファーブルの生涯』(藤森書店／ちくま文庫)第3章「コルシカ島のファーブル」から採録した。これはルグロの原著にはなく、平野が訳出にあたりファーブルの詩集から補っていたものである。

一、底本にあった百三十四項目の表題を以下に示す。○は項目全文を収録したもの、△は抄録したもの、無印は今回割愛したものである。

○美

○科學［わたしたちの科學］

○天と地の宴

　本能を支配する法則

　感覺の能力

　經驗と理性

　平和などない

○生命の養ひ親なる海のこと

○危つかしい前提

　田舍の藥

○母性本能のあらはれ

　ダアウイン學派の人々と兒童の推論など

　推論の感違ひといふこと

　器官の類似と、能力の相違といふこと

○よく知つてゐること、それは何も知らぬといふこと

　再び擬態説を衝く

○食ふものと食はれるもの（寄生のこと）

　一八四三年頃の思ひ出

　本能

泥棒

神聖化

○フランスの渡り鳥

○本能の無智

昆蟲學者の苦労

新兵殿に研究物を臺無しにされたこと

○思想に焔を與へてくれたなつかしい火種のこと

流行の學說について

靈感は無から來るか

○イツサアルの森

○昆蟲の知識

人間の胃腑

ファヴイエのこと

ファヴイエの眼識

○私たちの眞理

異常と正常のこと

○疑問符のこと

家族といふもの

猫を紙袋に入れて

○夏至の蟲の詩趣

○細菌

　壺はそれぞれ

　おそろしい屠殺場のこと

　昆蟲學上の命名について

　パラドックス

　思ふこと明らかなれば

○自分の無智

　再び學名について

○明快

○零の發見

　世評に對して

　沈黙

○つづかぬ體力の悲しみ

　學説のひびき

　無智

　蠅蛆の障害物は理想的な蠅帳のこと

△良心のこと

　しづかに庭を培はう

△擬死について
　野蠻な乳母なる自然
○いきなり現はれる知力のこと
○植物と動物の關係
　個といふこと
　私と遺傳――生ひたちの記
○嗅覚の二つの領域
　ベルナルデン・ド・セン・ピエールの奇妙な考へ方
　父の義務
○合歓の木の謎
○子どもらしい事實
○腸が世界を支配する
○保守家
○動物と着物
○世界は前進する
○鳥の卵
　語學修得の秘訣
○離郷賦
　再び、父親の義務

○鶯と蜂
○現在と、思ひ出の時代
　ソドムの林檎
○幾何學者の墓
○なまの資源
○讀書の態度
　謝肉祭の御馳走
　鳥と蟲の色彩について
　かなしい手紙
△いんげんまめのはなし
△最初の抒情詩人
○印度の王様と坊さんの話
　ルキアンとモカン・タンドンのこと
　遺贈物の結論
　もつともよく時を用ひる道
○光の朝食を！
○鳥さし
○宵深く、蝉も聲をひそめてゐる
　ミクロメガスの旅

再び田舎の藥
○はたらくこと
平等は不可能なり
コンデイヤツクの像
○馬鈴薯のユーモア
○再び故郷の村を見る
アルマ斷想
思想の飛翔
○村祭とくもの仕事
○くもあみの幾何學
△獨學の價値
○科學と藝術
○觀察の苦心
○地味な蟲萬歲！
○獨學者の言葉
愛は死よりも強し
使ひ古した机への言葉
本によつて得られる學問
パストウルの訪問『無智の便』

パストウルにならひて

一、底本に図版はなかったが、本書ではファーブルの著書、Histoire de la Buche(1867)、Geologie Zoologie et Botanique(1890)、Le livre des Champs(1926)にあった図版を選び適宜挿入している。

平野威馬雄（ひらの・いまお）

1900年—1986年。東京市赤坂区（現・東京都港区）に生まれる。詩人・フランス文学者。暁星中学、逗子開成中学、東京外国語学校、京都帝大などで学び、上智大学でドイツ哲学を修めた。若くして文筆活動を始め、詩人として同人誌「青宋」を主宰した。J-H.ファーブルに関する訳書、著書も多い。アメリカ人の父、日本人の母の間に生まれたことから、戦後は混血児問題に深く関わって、混血児を支援する「レミの会」を組織した。主な著書に『レミは生きている』『くまぐす外伝』などがある。著書・訳書は三百八十冊を超える。

虫と自然を愛するファーブルの言葉

大事なことはみんな「昆虫」が教えてくれた。

2021年9月15日　初版第1刷発行

著者　ジャン・アンリ・ファーブル

訳者　平野威馬雄

監修　平野賽史

企画・編集協力　金子伸郎

発行者　笹田大治

発行所　株式会社興陽館

〒113-0024　東京都文京区西片1-17-8 KSビル
TEL 03-5840-7820　FAX 03-5840-7954
URL：https://www.koyokan.co.jp

装幀　長坂勇司 (nagasaka design)

校正　結城靖博

編集補助　久木田理奈子＋飯島和歌子＋伊藤桂

編集人　本田道生

印　刷　惠友印刷株式会社

DTP　有限会社天龍社

製　本　ナショナル製本協同組合

Printed in Japan　ISBN978-4-87723-280-1　C0095